JN061318

SYSTEM

AESTHETICS

システム美学

新しい美学思想

烏　杰（ウージエ）［著］
サリナ・李琳・高暁慶訳
趙 烏日金 校正

日本地域社会研究所

目 次

はじめに

自然はどこから生まれる？美はどこから生まれる？

未来の世界は、真、善、美の世界です。

美の最も理解し難いところは、それは、理解が可能なところです。

私は2006年に書いた『調和社会とシステムモデル』という本に「最小作用の原理に適合した物質システムは、すべて調和的である」という命題を出しています。2013年『システム哲学の数学原理』という本にこの命題を数学と物理学的に証明をし、この証明は、重大な科学と理論価値があります。これにより哲学、数学、物理学が融合し、互いに検証、互いに促進することができると表明しました。哲学の数学化、数学の哲学化のために、科学の大いなる総合および研究に新しいステージを開き、重要な意義があると思います。哲学の科学性、実用性、指導性を表明し、同時に数理の哲理性、思想性、概括性を表明しました。

『システム哲学の数学原理』の中で：調和社会は、空洞なものではなく、または、単なる理想かもしれないと表明しました。実際は、それは、「自在な物」、「合目的性」で、最小作用の原理の要求に適していれば、成立ちます。

「システム哲学」自然科学およびシステム科学を基礎とし、自然法則の概括と解析です。そこから定量の根拠と数理的ロジックの説明が得られます。特に今のネットワーク化した各種知識と融合の時代において、理論、実験、スーパーコンピュータ等一体化の時代。人文科学と自然科学の大総合の時代潮流の主要特徴でもあります。「システムモデル」は欠かせない考え方および方法で、これもこの時代の主流意識と主流思潮になり、知識の全体的最適化にしっかりした基礎を築きます。

哲学と数学との相互検証によって、美学の数理への探検が私に非常に大きな啓発をもたらしました。ご存知のように哲学と美学は、切り離せない関係にあり、美学と科学が一体で共存し、それらはみんな一つの有機体構造です。

アインシュタインによると、本当に科学事業に専念している方は、自然、調和と美への追求するのです。科学者の宗教的感情によって、取られる形は、自然界法則の調和に強烈なびっくり感を示します。

アインシュタイン、楊振寧の問題：なぜ自然界に卓越で比類のない「理性調和」がある？なぜ「美妙概念」と「数学的構造」を選んで「宇宙を構築」する？自然界は、なぜこうですか？我々も回答すべきです。

イギリス物理学者のポール・ディラック（Paul A.M. Dirac）は、美は唯一の要求です。もし実験と美の理念が矛盾なら、それらの実験を忘れてしまえ！と言っています。

アメリカ物理学者のマレー・ゲルマン（Murray Gell-Mann）は、美とは、我々が正しい理論を選ぶときの一つ十分成功な基準だと言っています。

ドイツ物理学者のヴェルナー・ハイゼンベルク（W.K. Heisenberg）は、真理に美学の基準があり、美は真理の輝きだと言っています。

フランス哲学者のドゥニ・ディドロ（Denis Diderot）は、いわゆる美について回答は、つまり困難複雑な問題の簡潔な回答だと言っています。

フランス科学者哲学者のアンリ・ポアンカレ（Jules Henri Poincaré）は、世界の普遍的調和は、あらゆる美の源で、このような内部調和こそが美で、我々に努力して追求する価値があると言っています。

ドイツ天文学者のヨハネス・ケプラー（Johannes Kepler）は、1618 年に著書『宇宙の調和』に、自分の発見された惑星の運動に関する第三の法則を「調和の法則」と命名しています。彼が、数学による対称美を表現するための追求（即ち惑星運動調和の追求）で、最終的に三大法則を発見し、この三大法則は、ニュートン力学の基礎になります。

上記たくさんの論述により、美と調和への追求の重要性は、科学者にとっていうこともなく、彼らの成功するために絶対的で神技的な条件の一つです。科学と哲学および美学も切り離せなく、すべては自然理性が異なる層での現れです。

本書は、美学の新しい定義、並びに自然美、芸術美、設計美の中身と構造を提示します。

我々は、本の中で美の変分法を論証しました。左は最小作用の原理、右は調和美、真ん中は数学数式で両方を結びつけ、自然ロジックと人文ロジックの統一と調和を意味し、新しい科学群の誕生を予言します。これは、非常に美妙な事情で、美学にとっては、非常に重大な意義があり、大美の現れです。

ギリシャ人が、調和は美にあり、美は調和にあると言っています。ただ、数理の方法で証明するのは、容易なことではなく、この本でこれを達成しました。

これで人々は、美の変分法により、より多く最美、最善、最真の物事を設計できます。例え、山西太原科技大学副校長、博士教官の李忱教授は、変分法を利用して当校毎年学生招集の最適人数を計算し、高能率の最良方法です。(『システム科学学報』2016 年第 24 巻第 1 期をご参照)

システム美学の重要性、歴史性と社会性。

『芸術教育に関するアメリカの国家基準』に：「我々の児童教育の成功するか否か、一種の文明的、想像的、競争力と創造のある社会の形成に依頼し、この目標は、返ってこの世界に対する理解か否かに依頼し、そして彼らの自己の創造性方式を用いてこの世界に貢献を成し遂げます。芸術により学生たちの助け、彼らの感知と想像の促進がなければ、我々の児童たちが文化上の障害を以って社会に入る恐れがあり、我々はこのようなことを容認しません。」

理論上から言えば、プラトン、カント、ヘーゲルなどの思想家たちが、みんな哲学理論を起点にし、美学を用いて哲学の体系を完全化していき、我々も例外ではなく、システム美学は、「システム哲学」の補充と完全にするものです。

本書は極力簡潔な方法で西洋美学、中国美学および美学の全体が我々に何を残したか、欠けているのは何かを探求してみます。

ご承知のように今は、世界経済一体化、世界の平坦化、人類社会の多様化、ビッグデータ化および理論、実験、スーパーコンピュータ普及の時代に、システム科学、システム哲学の考えも時代の主流になり、つまりネットワーク化の考えです。それで美学も同様に面している新しい形態は何ですか？

プラトンの問い「美とは何？」依然と現代人として明確に回答する必要があると私は、思います。

ブノワ・マンデルブロ（Benoit B. Mandelbrot）は、このようにたくさんの学科の交わりは、きっと空集合だと言っています。私は肯定的に言いますが、「交差集合」と「空集合」は、きっと大美です。

本書は、特に深圳大学芸術設計学院崔育斌教授と深圳逸馬グループ馬瑞光董事長美しい図景を持ち、システムの美を述べたことに感謝をします。また、包商銀行が本書の出版（中国での出版）に多大なご支持をいただき、感謝を申し上げます。並びに山西ラジオ TV 大学学長李忱教授のご意見にも感謝を申し上げます。

本書の第一読者としての妻珍雲氏からご意見とご支援の支えのお陰により、円満に出版ができました。

最後にマルクスの『神韻・地獄篇』の一言を引用いたします。

科学の入口に、地獄の入口にいるように、次のようにご要求を：ここまでたどり着いた人々は、一切の懸念を排除し、この領域は、些かな恐れも容認できません。

2016 年 10 月 20 日北京にて

第一章　西洋の美学思想

美学は歴史の中で様々な学派が有り、その数は、数知れないほど多いとも言えるでしょう。しかし、人類文明の整体に重大な影響を与えたのは優れたわずかな天賦資質な人々が言い出した美学思想及び理論です。

一、ギリシアの古典美学

ソクラテス、プラトンとアリストテレス等の人達が作ったギリシア文明は、一つの基準化的な、高くて手が届かぬ手本で、それは、時空を超え、極めて生命力の強い光輝く文化で、こう言った永久な創造力の源が、西洋文明の始発の地となりました。

(一) ソクラテスの美学

ソクラテスが思うには、一切のものは、適時であれば、美で、適時でなければ醜いとなります。自然は美の根源で有るまい、魂こそ美の根源です。

ソクラテスは、「汝自身を知れ」という名言があります。つまり、自分の魂を知る事です。魂の本質は、理性です。理性を知ることで、魂を知ります。魂を知れば、美を知ります。魂—理性—美、これは、ソクラテスが美を知る方法です。世界史上、魂、理性主義の誕生即ち、唯心主義の先駆で、即ち理念主義の先駆でもあります。これも美学認識論の一つ大きなな進歩になり

ます。

ソクラテスが思うには、美の物事は相対的で、美は永久的です。美の物事は「多」、美の意義は「一」、明確に一と多の理念を打ち出したのです。

美は合目的性の美、合目的性は美の基礎、美の本質です。合目的性は「神の手配」(神とは古代ギリシア伝説の中の多くの諸神を指します。唯一の神ではありません)。

美は効用及び効用の立場によって決定されます。

美は合目的性なもの、善も合目的性なもの。美は有用なもの、善も有用なもの、美と善を有用なと合わせれば、美と善は統一なものです。

知識こそ美徳。論理哲学の基礎的な概念は美徳ですとソクラテスが思います。道徳の本質を示しました。

要するに美は人間の理性美、意識美、霊魂美です。人間の創造は最も完

備な芸術美であり、芸術は模倣すべし、真に迫るべし、外観だけではなく、心まで酷似に至るべしです。

ソクラテスの美学は弟子のプラトンを通して、又弟子のアリストテレスに伝授し、大きく発揮して、世界を影響しました。

（二）プラトンの美学

プラトンは、美は「イデア」と認識し、「イデア」は見えないもので、観念や理念、思想にしか掴めないものです。イデアは、先験的もの、物事を決めるのであり、物事に決められるものではありません。「イデア」は、物事と二つ異なる存在です（「イデア」は、アリストテレスの「形式」に似ています）。

「イデア」の特徴：

一、それは永久性があります。

二、それは絶対性があります。

三、それは先験性と単一性があります。

最高の「イデア」は真、善、美の統一です。

プラトンが思うには、宇宙は理性と感性の最も完璧な結合です。彼は宇宙の魂を二つの部分に別れます：一部は永久的な存在：「同」；もう一部は生成性の存在であり、「異」です。宇宙の永久的な運動規則は、最終的な、

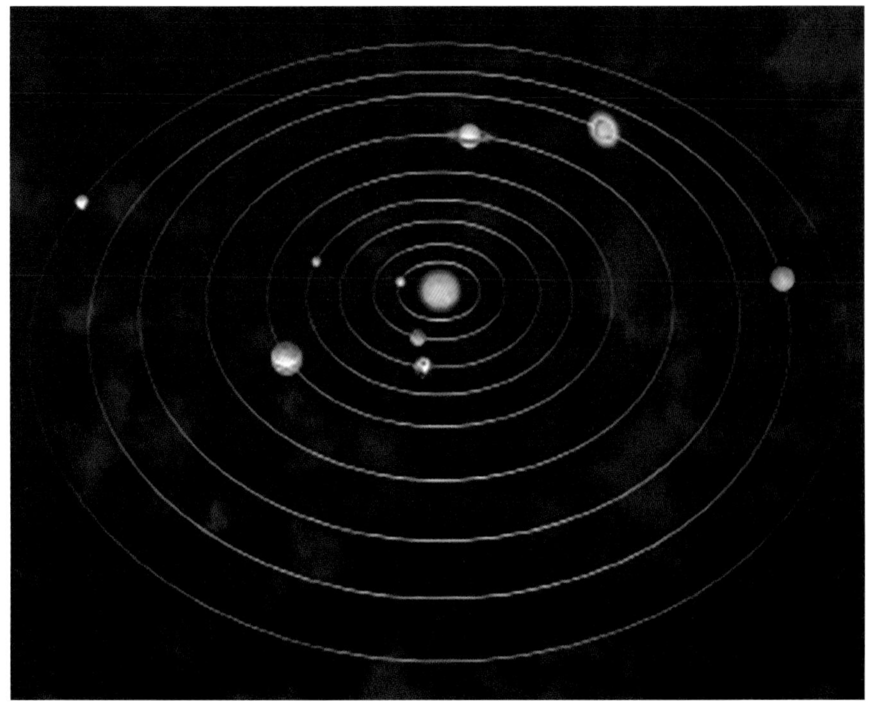

最高の美です。宇宙は美の球体で、それは最も申し分ない存在で、最もパーフェクトな美でもあります。

最も美しい境遇は心の美と身体の美です。調和一致による一つの全体、調和は、それぞれ対立間を協調する関係です。

「イデア」はプラトン美学の核心であり、物事より高く位置されます。

善と美は最も明るい存在。美と善の明るい表現。真、善、美の統一はプラトン美学の基礎、美学の本体論です。

彼はピラゴラスの学派思想を継承し、宇宙が黄金分割比率で構成され、調和音楽の全体を具すると思います。

宇宙は三次元の幾何体、世界は一つの整ったな生物体です。それは「理想の国」に一つの真、善、美の統一体を設けたのです。

彼の最も大きな貢献は、「イデア論」という唯心理論と創立したことです。彼は、神の代わりに「イデア」を用いて、これにより「イデア」は、「神」

になった。プラトンの哲学、美学、宇宙論等々の理論、特に「イデア論」は、世界に大きく広く深く影響を与えたのです。

（三）アリストテレスの美学

アリストテレスはプラトンの生徒であり、古代のヘーゲルとフリードリヒ・エンゲルスに称されていました。

アリストテレスが思うには、宇宙は美の有機体で、宇宙の理性は最高の存在、同時に最も最高の美であり、究極な美、その他全てを先だった美です。

宇宙の理性は主体と客体の統一、主観と客観の統一です。宇宙の理性は独立的な自在性があり、其れ故、美の独立な自在性で、同時に愉快と幸福の頂点でもあります。

アリストテレスが思うには、全ての美は善です。善が美に成るには、必ず愉悦を生じるべき。彼が思うには、美の最高の形は秩序、対称です。確定された美は数量、大小と秩序から生まれます。

アリストテレス美学の基礎は「四原因説」の哲学です。四原因説とは、資料因、形相因、作用因、目的因をさします。この４つの原因の物事が生まれます。彼がいう「形相」は、プラトンの「イデア」です。プラトンの「イデア」は、一般的に個別の外にあり、アリストテレスの「形相」は、個別の中です。

万物の求めているものは、正に宇宙理性最高の美なのです。ここで我々は科学的に言うべき、万物の求めているものは最小作用力で、エネルギーを最小に消耗し、効率の最も優れた進化及び結果で、最小の作用力こそが宇宙理性の最高なる美で、これも最高なる善です。

宇宙の運動は最高の美を鑑賞する対象です。人体自身が一つの小さな宇

宙で、宇宙は完璧な美であり、美は善と愉悦の結合です。

アリストテレスはソクラテスとプラトンの哲学、美学、宇宙学、生物学、幾何学等々の理論を大きく発展し、後世に大きな影響を与えました。

ギリシア文明に上記三人の賢人以外に、もう一人を話しに及ばなければならぬ、彼は三人の賢人よりも早くピタゴラス及びその学説です。

ピタゴラス及びその学説が哲学、数学、天文学、美学等の内容を融和し、一つ独特の理論体系を形成した。彼らが思うには、数学は宇宙の本源であり、数は万物の魂で、数は一種の創造力と生命力です。

宇宙個々の天体全てが数により構成された釣り合う中にあり、天体運行が調和とされています。地球から遠く離れてあればあるほど運行が速くて、

同時に高陽な音調を発し、地球から近い天体真逆で、それらの運行が遅く、雄渾な音調を発します。個々の天体が運行の中で、異なる音調を発します。調和が取れた音を構成し、天国の大合唱を作り出しています。彼等また同時にコードは一定の比率で調和の取れた音を生じします。感じられて、視ることができ、この可視な宇宙は最高の美です。

のちの科学者がこれは、非常にすばらい発見とされています。

調和が取れている美は物に合い、精神的に合い、芸術的な活動中にも適用されます。調和的な観点を以って、宇宙の構成と宇宙の美を解釈します。

彼らは、全ての物事は幾何体の構造です。この構造に対応するのが、1つは点、2つは線、三つは面、四つは体です。その故、ギリシア最早期の美学には既に構造的、形態的、造型的を備えた。数的調和美が本体論と認識論の意義があります。

彼等が「一本の棒を何処から切り離した方が最も美しいか」と言う問題を言い出しました。結論は黄金分割比率(即ち神の比率)、ならびに計算値が約0.618です。もしこの法則が無ければ、如何なる芸術の存在が無く、如何なる芸術美の存在も無いと言えるでしょう。

彼等は世界を幾何形として理解することに基づき、比率、尺度、調和、均等を秩序的に美の基本的な原則と見なすのです。

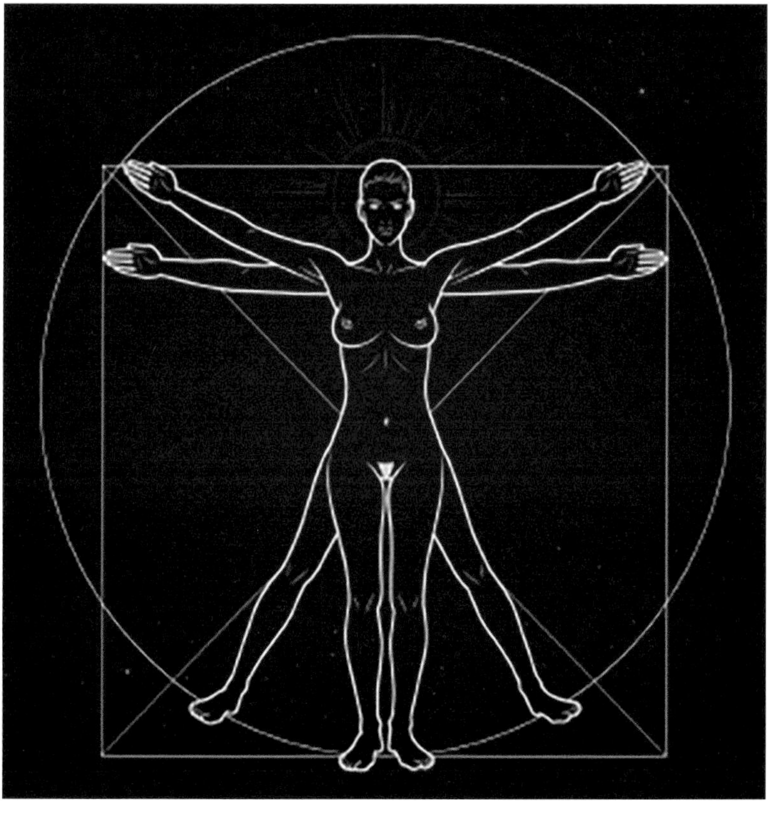

ピタゴラス及びその学派の宇宙調和理論が、その後の科学技術に重大な影響を与え、多くの科学者が彼等の啓示のお陰で重大な成功を取得します。例えば天文学プトレマイオス、コペルニクス、および偉大な物理学者アインシュタイン等々、全てが宇宙調和から発し、自身の理論を構成します。

古代ギリシアの美学文明と何人の代表的な人物の観点と理論を総括し、我々は自然に認識出来るのは：

その一、ギリシア文明の巨大な歴史的意義は、今日に至って依然と重大な影響を持つ思想の源で、その後多くの創造発明が全てここからの起源としています。正に米国著名な学者、哲学教授ウィリアム・グラントが夫人との共著した『歴史の教訓』で話したように：「ギリシア文明は真の亡くなったのでは無く、只外殻が存在していないだけなのです、生息地に変化が起きました。内包が延びる；ギリシア文明は永遠に人類の記憶の中で生きています。仮に一生を通したとしても、その全てを吸収する事が難しい。」「ローマがギリシア文明を受け入れ、更にヨーロッパに伝えました。アメリカがヨーロッパ文明から利益を得ました。そして今まで無い方式で再び伝達します。」その中の美学は尚更同様です。

その二、「彼らの哲学の中で、大抵今後の様々な観点の胚芽が見つける事ができます。」ホワイトヘッドが言ったのは：西洋の哲学二千五百年の歴史が、プラトンの哲学の一つの脚注に過ぎません。

その三、全てが数、数は宇宙の根源だ。今世の科学、芸術、人文に今なお重要な意義があります。これも又宇宙のシステム美学の最も古い論述であり、これが現代のシステム科学、システム哲学及びインターネット理論の観点に完全に適合します。

二、中世の美学

中世の美学は、神学です。

彼らには「神は美に至る」は美の根源です。美は整一と調和、神は最も美しいと思われています。神こそ整一と調和です。最高の美には必ず神性があり、この神はギリシアの諸神では無く、唯一の神：上帝なのです。このように上帝が美と全て芸術神学の規定性になりました。

三、近代美学

フランスのデカルトの「我思う、故に我あり」の哲学が美学の第一原理と成り、理性が全ての知識の基礎と源と思われます。又も存在の根拠で、美は結構と部分の調和だと考えます。

イギリスのフランシス・ベーコンが美は客観的な属性だと思います。表現は比率の奇異で、動態的な美が静態的な美よりも優れます。

18 世紀イギリスの有名な哲学者ヒュームが美の客観性を否定し、美は唯一人の主観に定めます。

ドイツの思想家、哲学者、天文学者カントが、美は無利害の快感であり、美は目的無き合目的性。美は一種自由な快感、生理的、道徳の快感に区別します。合目的性は規則性と最終的の仲介だ；芸術は自由の遊戯です。

ドイツ著名な思想家ゲーテでは、美は自然の中もの、自然は、既に美です。芸術が自然を模倣すべき、芸術が既に自然で、又も自然を超えるものです。美学者エゴンシーレでは、人は二つの衝動があります。一は感性的で、二は理性的です。

西方の哲学巨匠ヘーゲルでは、美は理念が感性の現れ、自然は理念の異化形式です。

四、近代美学から現代美学までの経過美学

ドイツ哲学者アルトゥル・ショーペンハウアーは、「世界は我の表象で

す」、「世界は、我の意志です」。主体の本質は意志、人の思想、人の理性は全てが意志の表現です。意志は何処にでも存在し、意志は世界の根源です。

ショーペンハウアーがプラントを継承し、フランス古典哲学の理念説では、美は理念の表現だと思われます。

ドイツの哲学者ニーチェでは、世界はたった一つ、意志と現象は分離できなく、意志は世界の本源です。美、芸術を陶酔又は生命力のある裕福と剰余だと理解されたのです。

フランスの史学者兼文芸理論家イポリット・テーヌでは、芸術は種族、環境、時代の三つの要素によって決まると思っています。

五、現代美学

現代美学は伝統に反し、理想に反し、形而上学に反する事を特徴です。現象学美学、解釈学美学、存在主義美学、実用主義美学等を、主流としている学派です。

ドイツの哲学者エトムント・フットサルの美学は「事柄自身に迫る」現象学です。

ドイツの哲学者ハイデッガの美学は「存在的な美学」、一つ「自身は自身の根拠」という存在で、美は何かとの答えにはなっていません。

フランス２０世紀有名な哲学者ジャン＝ポール・サルトルの存在主義では、想像により構築された自在と自為の融和統一の世界、即ち芸術と美ですと思われています。

ドイツの心理学者、美学者テオドール・リップスの感情移入説。

オーストリアの心理学者フロイトの本能的激動、抑圧と昇華の美学。

現代派の芸術と美は、偶然性を持ち、ランダム性と不確定性、それらはただ日常のランダムな心理の動きに関心を持ち、まるで人の心理と生活が全て遊戯と笑いさざめきの中に有るようで、超現実主義の流派です。その中で:ロマンチック派、野獣派（フォーヴィスム）、ダダイスム、バップ派、落書き派等々の流派が有る。これらの主な特徴は：ファンタジー、風刺的、コミカルな、放蕩的なものです。

例えば、人体のロールカラーの演技、三人の裸体の女性が身体に各種な色を塗り、キャンバスの上に横になって転げ回って、様々な異なる痕跡を形成する事を、「芸術作品」と称します。

しかし、典型的な制作方法は、音光電気の技術の規定の元で、各種奇妙な画面を構成します。感情、欲望、意識を夢のような組み合わせをし、万華鏡効果を展開します。彼らの原則は：反抗こそ規範的であり、芸術が感情や欲望を発散する極端的な方式と見なします。

目的の無き陶酔、目的の無き狂気、目的の無き遊び戯れ、芸術と美が正

真正銘の底なしチェス盤の遊戯に成った。虚無主義が徹底的に芸術の世界を打ち砕いました。現代主義と後現代主義の芸術の核心は新奇を衒います。つまり狂気と幻覚の組合。虚無主義をピークに押し上げ、戻れぬ道に押し上げたのです。

スペインの画家、彫刻師ピカソが、現代芸術は人類に最大な悪戯を与えたと言っています。

後現代主義の学派では、「上帝の死、人の死、主体の死、(又は作者の死、読者の死)」を提言しました。後現代主義者が、安価な偽物作品を販売している団体に如きます。「無画即画」は彼らのスローガンです。

フランスの画家マルセルデュシャンが、1917 年に一つ小さな便座に「泉」というタイトルをつけたように、皮肉の方式で芸術と生活の境界線を打ち破りました。

デュシャンは「モナ・リザ」に鬚を書き付け、伝統の芸術と美に対し反抗と否定をし、これは、荒っぽい風刺でした。

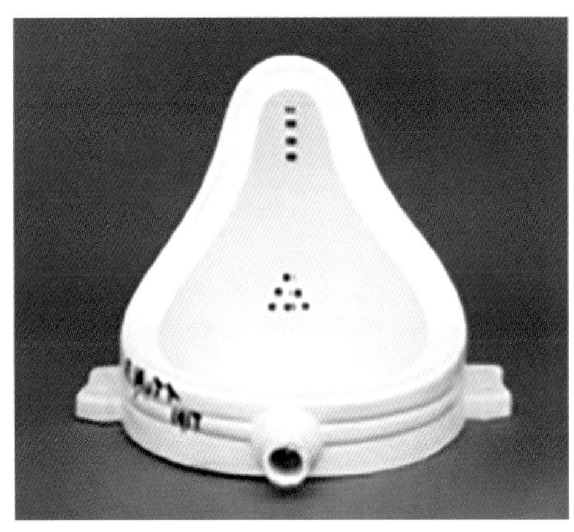

原作と複製が一般の消費者に対して、既に意味が無く、全てが消費になれるものです。

西方の美学史上からみると、自然派の美学者達が、美は自然の属性だと認識し、およそ：

ギリシアの古典美学者アナクシマンドロスの美は、全体にあり、ピタゴラスの美は、調和です。ソクラテスの道徳哲学の基礎は、美徳です。近代美学のフランシス・ベーコンでは、美は、客観的属性で、ヨハン・ヴォルフガング・フォン・ゲーテでは、「美は自然の中に」、「自然即ち美」。

この学派は、美は自然であり、自然なものは即ち美、美は、自然にある、美は、自然の変化の中に、これは、自然派美学者、思想家です。

もう一種の学派は、プラトンの「イデア」を始まり、ヘーゲルの「美は理性的感性の現れ」を主幹とした美学で、中には、ショーペンハウアー、ニーチェの意志哲学美学、感性、意志、思想が客観の美、客観の芸術性、実用性を代用し、この学派は、美は自然の属性を否定した美学で、この派の後継は、虚無主義の幻の道を歩みました。

１９世紀半ば、ヘーゲル哲学が崩れてから、哲学に危機感が走ったが、哲学そのものは、消えていない。美学も無くなっていない。安息もしていません。その代わりのものは、システム美学、システム哲学であり、これも自然の流れなのです。

第二章　中国美学思想

「美を好む心は、誰にもあり。」

ただし、我々中国人は、古今美学理論に対し、深く研究する人少なく、梁啓超が語ったように、中国文化の特徴は、心での会得ができても、言葉にして伝えないもの、大雑把で、独断的、踏襲、虚偽な特徴があります。

西洋美学の観点からみると、中国は本当の「美学」が存在しない。わずか零細な断片及び論述があるだけです。中国の学者は、20 世紀初に日本の美学理論を導入し、そして西洋美学の書籍を多少翻訳し、この時点から正規な美学研究が始まりました。

ただし、中国美学思想の発端は、春秋時代から始まり、この時期もちょ

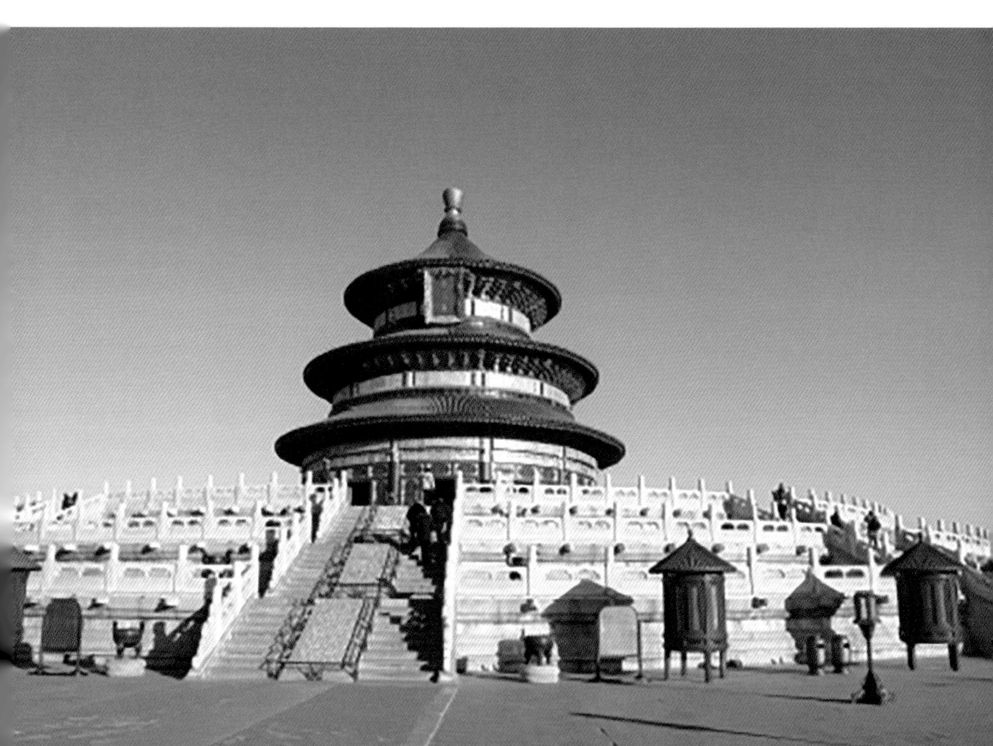

うど様々な思想や哲学の発起の時期でもありました。

この点はドイツの学者カールヤスパースの有名な課題—「枢軸時代」に一致しています。

この時代に生まれた人類の文明は重大な突破があり、様々な文明に偉大な精神の指導者が生まれています。古代ギリシアのソクラテス、プラトン、アリストテレス、イスラエルユダヤ教の先覚者達、インドのシヤカムニ、中国の孔子、老子などを含見ます。彼らの思想原則が異なる文化の伝統を作り出し、ずっと全人類の思想と実践に影響を与えています。

人類史上の「枢軸時代」の「臨終の思いやりの覚醒」は、正に社会システムが進化して、ある程度の段階まできて生じた「突変」が、徹底的に人間社会の過程を変えました。

中国の美学思想が更なる展開と深化は、魏晋、南北朝時代です。これは春秋時代の後、中国人の思想解放の第二の波です。

春秋戦国時代と秦の時代が中国を統一した後に於いて、中国文化美学思想が『老子』、『荘子』、と『周易』(『易経』)の哲学思想に集中しています。

老子が「道」を中心とした哲学思想の体系を築き上げ、道、気、象、有、

無、虚、実等一連の哲学の思想範疇を言い出しました。中国の哲学及び美学思想の全てが、老子思想に巨大な影響を受けていました。乃至、現代中国の哲学と美学は、老子の思想体系から離れないものです。例えば、『老子』思想では：

1、道は原始混沌です。老子が「物有り混成し、天地に先んじ生ず。」これは正に当時宇宙学モデルと特異点理論の原理に符合し、宇宙はゼロ空間の量子状態にいて、即ち時間と空間は、ゼロで、宇宙半径もゼロの状態に等しい。あの時期の「混沌」はいわゆる「道」です。

2、「道」が万物を生みます。道が一を生み、一は二を生み、二は三を生み、三は万物を生みます。宇宙ここから進化し、それから星系が現れ、太陽、地球、人類等。これも当時の物理学、宇宙学、生物学等に一致しました。ただ「道」を奇点に変えれば良いです。

３、道は自然に法る。即ち大自然の自らの仕組み、自ら演化、節エネルギー節時的に駆動の下で、大自然は自然に進化しつつ、どんな外力にも頼る必要無く、これも当時のシステム理論に一致しています。

4、道は有と無、陰と陽の統一だ。それも奇点の統一なのです。

5、老子の道、气、象、有と無、虚と実、美と醜い、難と易、長と短、高と下、「玄覧を滌除す」等の内容は、哲学美学の面において積極性な作用があります。

老子のこのような思想は、後世の美学理論及び思想に重大な影響があり、特に虚と実の結合と統一、「玄覧を滌除す」、「美と醜い」、「善と悪」が、中国美学思想の重要な範疇となったのです。

更に、例えば中国絵画の一つ重要な特徴に線です。線以外は、広い空白、虚と実を以って、中国絵画の基本要素を構成されました。

中国の書道も「広い空白」を重要視する。中国建築、中国園林、中国芸術演劇等すべてが、虚と実の原則に従っている。これは、中国芸術美の重要な特徴の一つです。

庄子は、道は最高で絶対の美という。美と醜いは相対的、本質の上はすべてが「気」、天地の間の「大美」は「道」です。「道」は宇宙の本質で、客観的な存在で、哲学美学の本体論なのです。

荘子が「天地は大美あるも言わず、四時は明法あるも議せず、萬物は成

理あるも説かず。聖人なる者は、天地の美に原づきて萬物の理に達する。故に至人は爲すこと無し、大聖は作さずと、天地の觀るの謂なり。」と語っています。(『荘子・知北遊』)

荘子のこれらの観点は、古代ギリシャ人の観点に似ており、宇宙は最大で、最高の美、絶対的な美ですと思われています。ただし、「至美至楽」の境界に辿り着く為、荘子では、必ず「己無く」、「功無く」、「名無く」を成し遂げ、「物を外にす」、「生を外にす」、「天下を外にす」を排除してこそ「道」に遊心できると思われています。実際は、すべての私心と雑念を捨てて、「道」を得られまる。「至美至楽」の仙境に辿り着きます。つまり高度な自由の境界になります。

荘子が「其の美なる者は自ら美とす、吾れ其の美なるを知らざるなり；其の悪なる者は自ら悪とす、吾れ其の悪なるを知らざるなり。」といいます。この意味は、美しい者は自ら美しいです。美が醜くなる。醜い者は自ら醜い、醜いが美しくなります。美と醜いは一定の条件の下で相互に転化し、絶対的な美と醜いは無く、二つの本質は全て「気」なのです。これらの思想が極めて明朗で面白く、変動な変化の思惟に満ち、これは、当時二極思惟の初級版です。

荘子の「養心」即ち「心斎」、「坐忘」です。それは、後世の中国の美学思想に特に魏晋南北朝時代に重要な影響が与えました。

『周易』が陰陽学説を核心とする哲学思想体系を築き上げました。先秦哲学思想の代表です。『周易』と『老子』は同じく、世界は絶えず変化するものですと考えています。「日新之盛徳と謂う、生生之を易と謂う。」即ち天下無常、剛柔相推します。「易窮ずれば則ち変じ、変ずれば則ち通じ、通ずれば則ち久し。」

『周易』の陰陽剛柔、陰陽相推し、変化は其の中です。『周易』によれば、万物は対立している二つの要素、即ち陰陽相互に作用した結果だ。いわゆる物事は互いに相反ながら互いに成り立たせ合い。これは老子の思想と一脈相承、この思想がずっと中国を二千年以上も影響し、今になっても我々が依然として両極思惟に導かれています。

『周易』(『易経』、『易傳』) から「立象以尽意（象を立ててもって意を尽くし)」と「観物取象」の命題を提案して、それが美学思想に大きな影響を与えたのです。

『老子』、『荘子』及び『周易』(『易経』、『易傳』) を代表とした哲学思想、特に『周易』の中で、言い出した一つ特別で絶妙な思考は、結構と時空序の考えです。

中国の古い百科全書の『易経』の中で、八卦は陰爻「--」と陽爻「—」二つの要素で構成され、毎回三つの爻を取り、組み合わせる。例えば、震卦、(☳)、艮卦（☶)、坎卦（☵）三つの卦は全て一つ陽爻「—」と二つ陰爻の「--」組合です。要素の数量は同じく、ただし要素の組合の順序が異なります。それで表現する意味も異なり、決める事も異なってきます。矛盾する思想（陰陽）とシステム思想の高度な融合は『易経』の奥深いところです。これも一般の人には理解し難いところです。もし八卦を相互に重ねると、六十四卦になります。

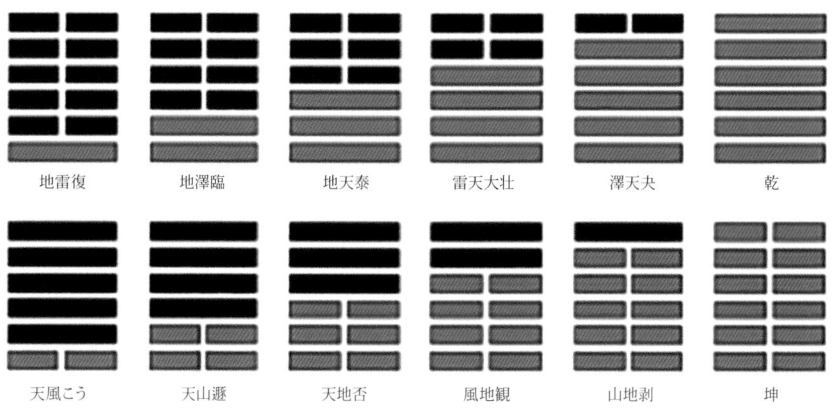

この時空序の考えは正に現代のシステム思惟で、それは非常に殊勝な思惟となるでしょう。

我々は知っていて、物事の性質は構成によって決定されます。構成は、三つの要素により決まります。その一、要素の特性；その二、要素の量子の膨らむ平均規模と膨張効率；その三、要素の繋ぎ方式、即ち時間、空間の順序（略称：時空量あるいは時空序)。この三要素がシステム構成性質を定義する時に、作用する効き目が異なり、一般な状況では、三要素の相互作用が構成の性質を決定します。

ただし、我々の先祖が二千年前に、既にこの重要な配列思想と空間順序の思想を発見し、非常に簡単事なことではないでしょう。

相反相成の両極陰陽思惟は、美学思想の中で非常に目立って表現しています。「天地之道、陰陽剛柔に過ぎない」の如く。天地の精華、陰陽剛柔軟の始発也。その陽剛の美は、その文は、霆に如き、電に如き、長風が谷から出るに如き、崇山の崖に如き、大川の崩れに如き、渇驥奔泉に如き；その光は、太陽に如き、火に如き、金に如き、自然美にしろ、芸術美にしろ、設計美にしろ、まるで一切の美は、両極の構成です。この言い方は、科学的ではないが、かなりの極限性があります。それは、物事は、相似生成からです。

『老子』、『荘子』及び『周易』(『易経』、『易傳』）による代表的な哲学及び美学思惟、大きく後代中国人の意識、思想、行為等に影響を与えたのです。正に儒教が中国の政治、論理、文学芸術と社会発展に対して根深柢固の影響を与えたのと同様です。老子、孔子が代表する道家と儒教の二つの思想が中国人の数千年の運命

を決まり、中国人の思惟及び美学思想の標準形になりました。

孔子では、芸術が「仁」の境界に達すべきだと思われています。彼は芸術と社会教育を一緒に結びつけ、彼は美と善は統一ですべきといいます。又「美」は形で、「善」は中身です。芸術は美ですべき、中身は善ですべき、即ち「文」と「質」の統一です。

孔子の「智者は水を楽しみ、仁者は山を楽しみ、智者は動き、仁者は静かなり、智者は楽しみ、仁者は寿し」。つまり賢い人は周囲の環境に適応でき、行為は自由で堂々となり、自然にこなします。まるで水のように存在と動く、その中で楽しみます。道徳ある者は、高い山のように雄壮で、誇らしく、長者です。

孔子が『論語・泰伯』の中で「大」を使え高尚なる道徳を描写します。「大いなる哉尭の君為るや。巍々乎として！唯天を多いなりと為す。唯尭之に則る。蕩々乎として！民能く名づくる無し。巍々乎として其れ成功有り。煥乎として其れ文章有り。」これでわかるように孔子は、美を道徳、人格と関連付けます。美を動と静、楽と寿に関連付けます。

孔子の興、觀、群、怨の観念、孔子が詩歌の社会作用に対して明確な要求と言えるでしょう。

「興」が精神を感動させ、前向きになる；「觀」が社会を理解し、作者を知ります。「群」が人々と思想を交流し、調和を保てる；「怨」が異なる意見を発して、社会の寛容を表すのです。

無論孔子のこの四つの意志は互いに関連し、文芸の社会的作用に全面的な描写を行いました。

孔子が『論語・里仁』の中で、「里は仁なるを美と為す」、意味は仁愛の心に重きを置くことは美しいことです。仁徳のある人と一緒にいるのは善です。ここで論理、道徳の美を語っています。例え「君子は人の美を成し、人の悪を成さず」、人の良い事を助け、人の悪い事を助けはしないです。ここでは美と善は同じです。

孟子が謂く「充実なることは美と謂える」、即ち人の美徳を充実させ、人に虚偽にさせなく、美の人であり、美徳の人です。

孔子、孟子が美学思想を物事に対するの認識の上に限り、即ち美学思想の認識論に限ります。この点では老子、荘子の美学思想に異なります。特

に荘子が明らかに言っていることは、道は最高の美、道は絶対的な美、天地の間の大美とは「道」です。

荘子の哲学思想に「道」に関しては、大美です美学思想は、古代ギリシャ人の観点と一致します。即ち宇宙は最高、最大な美で、至美至楽の境地に辿り着くことができます。残念なのは、荘子の思想が後世に継承又展開されず、しかしながら、後世が継承したとしても極めて難しく、「道」自身の概念は非科学的で、非理性的なものからです。

荘子のこの思想は正に中国美学本体論の原点で、中国自然美の原点でもありました。これは、中国美学思想と西洋美学思想の重大な違いとも言えます。一つは自然科学の基礎の上に作られたもので、もう一つは、不確定性の観念の上に作られたもの。ただし統一した点では、即ち宇宙は大美だと認識しているところです。

伝統からいうと、中国の美学思想は意念の表現、境地の構造、境界の光景の融和は、理念主義なものだ。西洋美学では実物の再現又は迫真的で、物質主義なのだ。この二つの見解がすべて狭く、例え自然美の表現取ってみると、西洋美学は「迫真」の再現方法で、自然的、合理的、科学的であ莉、最も魅力的な方法の一種だ。中国の理念的な、境地的な手法や手段で美を表現すると、芸術美、デザイン美に対しては非常に合理的で、自然美の表現にはふさわしくないこととなります。つまり、異なる美の対象に対して、異なる表現手段取るべき。

肝心な問題には、中国と西洋の美学者達は、何が自然美、何が芸術美、何がデザイン美なのかを区別して無いのです。

一、漢の時代の美学思想

この時期の主要な代表作は、淮南王の劉安が作った『淮南子』と王充の『論衡』です。この二部の著作は、儒学を突破し、黄老思想を推賞し、それは老子、荘子の哲学思想の再起です。例えば、「形」と「神」という内容は、漢代になって「形神論」に変わり、南北朝の時代になってから更に「伝神写照」になりました。

『淮南子』と王充が、老子と管子の「気」の概念を伝承し、自分の元気自然論説を構築され、万物は「元気」から生まれると思われていました。「天地合気、万物自生」、同時に美の客観性、美の相対性を肯定しました。例え、「ぼ（女偏に莫）母は美しく、西施は醜い」。又美の形式は、多種多様だと打ち出しました。例え、「佳人不同体、美人不同面」。無論、これらの記述は芸術美の中に限られ、自然美に対しては適切ではありません。

王充が真、善、美の統一を打ち出しました。彼は芸術の一つは真実であり、二つは有用ですと言いました。彼が『論衡』の中で「真」こそ美なり、それで彼の真、善、美は統一したものです。彼は更に美の多様性を肯定しました。そして真善美の統一は、清朝初期の王夫之、葉燮のところで統一されたが、その統一も初歩的な統一です。

二、魏晋南北朝時代の美学思想

漢代の経学の共通性は拘り、堅く、教条的です。経学化的な儒教、それが国を統治することが向かず、又功名利祿の近道にも成れず、従って人々はそれを代替する物を探しました。

この時期に美学思想に関する著作が現れています。例え曹丕の『典論・論文』、嵇康（けいこう）の「声無哀楽論」、劉勰（りゅうきょう）の『文心雕龍』、陸幾の『文賦』等。

魏晋南北朝が美学思想の発展が、玄学の影響を受け、実際は老子、荘子の哲学の復活です。儒学が漢王朝の進化及び王莽王朝の現れを経て、儒学が無用ですことを証明し、儒教が強国することも出来ず、富民することも出来ないからです。この時に道家の思想を以て儒家経典を解釈する現象が現れ、言わば「儒道合経」、一種新しいイデオロギーの「玄学」ができました。儒教の外装を覆った道教思想により、当時天下を風靡した一種の思潮にもなりました。玄学が経学を代わり、老子が孔子を代わり、大勢の賢人が一人の聖人を代わった百花斉放に、思想解放の時代になりました。

玄学の現れが、事実上儒教が一種の「国教」としての失敗や破産を宣示しました。例え、王莽は、儒教の忠実な実践者で、又も儒教の第一最大の犠牲者でもあり、彼は「中国初めての社会主義者」と称されています。彼の失敗は、儒学、儒教の失敗したはずで、残念ながらこの教訓が後世の統治者に受け入れられず、中国がイデオロギー上、次第に儒教の統治から抜け出せない結果になりました。

玄学の現れは、魏晋南北朝時代に思想解放運動の現れです。儒学が政治の上の無能で、例え王莽時期に学術の腐敗で、人々の思想がついに老子、荘子の哲学思想に移り、社会中の各方面に影響したのです。例え、王羲之の書道、　顧愷之の絵画;曹植、阮籍、陶潜、謝霊運、謝桃等の人の詩歌;雲岡石窟、龍門石窟の造像等々。

魏晋玄学は「三玄」を崇拝する：それは老子、荘子と周易だ。この「三玄」がその時代朝廷の士大夫を傾倒させ、心酔、発狂となります。「世説新語」は一つの代表で、これで魏晋時代の玄学の特徴を解釈できます。

孔子の人格的善と美から人物の気骨、風采、風韻に移り変わりました。人々は社会上に政治的実用機能を重視しなくなり、返って芸術、審美的方向に移り変わったのです。

書道が実用性から自由に発揮するように転換；「君子の徳」から自然山水に移り変わり、自然の本来は、美です。自然美を以って人の風采、風格を表現する等、例え曹植の「洛神賦」。魏晋玄学の経学者王弼（おうひつ）が荘子の「意を得て言を忘る（得意而忘言）」、を「意を得て象を忘る（得意而忘象）」と展開しました。

魏晋時期の著名な思想家、音楽家、文学者嵇康の「声無哀楽」で、音楽の本質が形式の美であって、感情内容ではないことを説明したいが、この言い方は、相当に消極的に見えます。

東晋時代の画家、美術理論家、詩人顧愷之で、彼の作品は伝神に意があります。彼の「伝神写照」は画家が「以形写神（形を以って精神を書く）」です。「伝神写照」とは、構想の段階で、対象の外的な形の縛りを超え、現実対象の内的精神気韻を掴むことです。「以形写神」では、作品の創作段階で、対象の形の描写に重要視することにより、一層作品の神（精神）を表現できることを指します。この二つの命題は、審美構想活動から審美製作活動の転化関係を表現しています。これは顧愷之が、人物絵画の異なる段階で「形」、「神」に対しての審美的把握と審美的追及です。

南斉時代の画家謝赫が『古画品録』を著し、最初期の絵画理論家とも言えます。彼が言った絵画「六法」は、一、気韻生動；二、骨法用筆；三、応物象形；四、随類賦彩；五、経営位置；六、伝移模書です。彼の絵画六法は、中国古代美術評価の標準と重要な美学原則に成りました。

魏晋南北朝時代の美学絵画の思想には非常に哲理の韻があります。「三

玄」思想から多大な影響を受けています。例え南宋の画家王微の書かれた『叙画』という文が、早期の山水画に関連する重要な文献です。彼がいう「以一管之筆、擬太虚之體」と、『蘭亭序』の名句「仰觀宇宙之大、俯察品類之盛」は、筆墨が「十方世界」を表現でき、天地の真実を証した感じです。

基本的に、西方美学が「再現」、「模倣」、「写実」で、中国の美学思想が「描写」、「表現」、「写意」、「意境」を強調しています。概略的言えば：一つは写意派、一つは再現派です。このように二派を纏めるのは合理的ですかどうか、検討する余地もあります。それら共通な遺憾な処は三つの形態の美を区別してないところになります。自然美、芸術美、設計美と三つの異なる美は、異なる形式で表現します。

南北朝時代の文学理論家劉勰の『文心彫龍』が、彼の中国文学史上での重要な地位に確立しました。彼が主張している「隠秀」即ち「情在詞外（情

は詞の外にあり）」と「義生文外（意は文外に生す）」の「多義性」で、同時に「隠処即ち秀処」の統一性でもあります。

劉勰の「風骨」は、文質の共に重視を主張し、一種芸術風格の概括であり、芸術美に対して要求です。

劉勰の「神思」では、情と景の相互影響と相互転化を強調したのです。先秦時代の「観物取象」から魏晋時代の「千想妙得」まで、更に「神思」に至っては、大きな前進でした。

劉勰の「知音」では、知音が逢え難いを意味します。その理由には「貴古賤今（古を貴い今を賤しむ）」、「崇己仰人（己を崇め人を仰ぐ）」、「信偽迷真（偽に信じ真に迷う）」にあり、彼は芸術の本質は「意象」にあると思い、この言い方はとても積極的な作用がありました。

三、唐五代時期の美学思想

唐代以前の中国の絵画は、全て着色していた。唐代の詩人王維は、中国第一位の水墨画家、彼は水墨の山水で青緑の着色に替わりました。王維は、道教と禅宗哲学の影響を受け、「道(玄)」は最も素朴で、それが自然界の五色を含んでいます。自然界の五色を生じ、水墨の色が最も「道」に近く、最も自然の本質を近いです。この見方は、後の世代の絵画に大きな影響を与えていました。

五代画家荊浩が書かれた山水絵の理論著作『筆法記』の中で「絵画六要」:一は気、二は韻、三は思い、四は景、五は筆、六は墨を提言しています。彼は水墨の色は最も自然の色に相応しい;山水絵の意境が、「真」の要求に達したと思われています。したがって中国美学思想の真は、西方美学の真

と異なり、自然本体を造化する生命力を表現している——気と道です。これは当然ごまかし、人をだますのやり方で、一方中国の「二極性論」の根源が極めて深く、影響が十分に長いと証明されています。

唐朝の詩人白居易は、詩には「人情を導き」「時政を察する」の作用があると思っています。彼の代表作『新楽府』、『琵琶行』等が、人民の疾苦と統治階級の暗黒を反映し、そのため、彼の詩は、広く世間に好かれ、遥か遠方まで伝播されています。

唐の文学家殷璠の『河岳英霊集』に初めて「興象」と言う言葉を使われました。興象は詩を自然で絶妙な境界に達するべし。

唐の著名な詩人王昌齢の作品では、典型的な情景を捕らえることに得意し、高度な概括力と豊富な想像力を有します。彼の『詩格』の中で詩の境界を三種ある：物境、情境と意境です。山水の形を書く事を物境といい、景色に寄せ情を生じた事を情境といい、物に託し志を言う事を意境といいます。

晩唐の時の詩人司空図の『二十四詩品』では老子の哲学思想を反映し、宇宙の本体は道なり、「意境」の美学思想の本質を表現しました。例え蘇

東坂がいう「成竹在胸」、「身與竹化」、「虚故納萬境」、ここでいう虚即ち「道」、即ち老子が言った「無」、つまり中国絵画の「布白（白を残す）」だ。宋代画家の創作には「意境」を非常に重視すると蘇軾が、王維の絵に「意境」があり、彼の絵が呉道子よりレベルが高いからだと言いました。

四、宋元時代の詩歌の美学思想

この時期は「情と景」に対して比較的に関心を持ち、情と景の融合こそ美感を構成できると思います。即ち「情が景の中に、景が情の中に」。蘇軾が「詩中に絵が有利、絵中に詩が有る」両者は相互に融合するといいます。彼が又も「高風絶塵」の精神の境界を言い出し、美感な光景に「簡古」、「澹泊」、「平淡」です。これで「餘意」、「真味」、「至味」、「深遠無窮之味」が生まれ、彼の基準に相応しい。

五、明代の美学思想

元末明初の画家、詩人王履が、自分の絵画経験から「吾師心、心師目、目師華山（吾は心に師とし、心は、目に師とし、目は、華山に師する）」、以前画家は古人に師し、心に師し、師の造化の理念主義を否定したのです。王履が「意」と「形」の関係を言い出し、これは宋元時代「情と景」の関係であり、彼は絵画が「意と象」に戻り、更に「情と景」の統一とされます。

蘇軾は、「絵は精神に貴い、詩は韻に貴い」と強調します。

魯迅では「中国絵画は宋以来写意に盛行します。両点で目、長いか丸いか：一画で鳥、鷹なのか燕なのか知らない、競って高簡なのを薦め、空虚になる。このような高談、神韻と写意を以て自分の怠けと空虚を隠しているだけ」と思われています。

明代の思想家、文学家李贄（リシ）が程朱理学の「天理を留め、人の欲を滅ぼす」の説教を反対し、孔子の是非論の是非を反対し、人々が孔子を模倣するのを反対します。彼は「天から一人が生まれ、一人の用があるべし」と思い、美学では「童心説」つまり「真心」又は「赤子の心」です。彼が人が「六経」を学べば、童心を喪失し、人が「人形」に成り、話しが「嘘話」に成り、事が「嘘の事」に成り、文が「嘘の文」に成るのです。李贄が文学は「童心」を表現すべきです。彼が「『水滸伝』は発憤の作」で、「童心とは仮を絶して純真で、最初の一念の本心なり」と言っています。彼は、「童心」を以ているこそ人間性の本来状態を表述します。彼の観点が明清の小説、詩歌の発展に対して活力を注入しました。

明代の戯曲家、文学家湯顕祖の「唯情説」は、「情の有る人 (真人)、情の有る天下 (春)」、「情のために使い、伎劇に尽くし」を追及し、人物の感情を以て観衆を感動させます。

李贄の「童心」思想及び湯顕祖の「唯情説」、全てが儒家伝統への衝撃です。李贄が、文学とは「蓄積は極久で、勢いは、止まらず」、「発狂して大声で叫び、流涕して号泣」、目に触れるものすべて感動して、止められないはずだ思っています。

明末になって、儒家の「中和」思想が大きな衝撃を受けて、司馬遷の「発奮著書（憤を発し書を著す）」、韓愈の「不平則鳴（不平に則鳴る）」を自分の旗幟に書いたのです。

明の時代に、「四大奇書」が現れ：『三國志演義』、『水滸伝』、『西遊記』と『金

瓶梅』です。大衆文化の勃興、伝統的な儒家の経典が懐疑と冷遇に遭います。李贄の思想理論は明清小説の真の魂で、又も小伝統の真っ盛りの時期です。

明朝の小説、劇作家葉昼からは「迫真、肖物、伝神」が小説の基本の要求だと主張します。

明清時代の思想家王夫之の情景説では「景中に情が生じ、情中に景が含む、故に曰く景は情の景なり、情は景の情なり」と、意象を中心にした一種の美学思想です。

明清の庭園は一種の創造、又も一種の鑑賞でもあります。典型的な中国の文学芸術の意境の論、表現説を代表した。借景、対景、隔景、分景は、いずれも全てが空間の配置、空間の組合せによって芸術の意境を作り出します。又その中の月影、花影、水影、雲影、水声、鳥声及び亭、台、楼、閣等々、全てが一つの美妙な意境の為に存在しています。まさに「凝固な詩、立体な絵」と称します。

六、清朝の美学思想

清初期の詩人葉燮（ヨウショウ）の理性美学観では「気」は万物の本体です。「気」の運動から「理、事、情」の流動が生まれ、これこそが美だと考えられています。客観的「理、事、情」は統一的で、彼は芸術家美感の創造力に、才（才能）、胆（勇気）、識（見解）、力と四つの要素によって構成され、文学芸術の宇宙観を統一するといいます。彼は、世界万事万物すべてが「理、事、情」で分析できると思います。当時に美感と芸術の本源であり、美の本質は気の運動で、気は客観的で、美も客観的です。

葉燮は「不合宜人（適していない人）」、「怪物の首」と自称し、彼は、当時の「名者（有名人）」、「利者（金持ち）」、「勢者（権力者）」を批判していました。彼は「考訂証拠の学（証拠を考察、訂正する）」を軽視し、このような人は、煩瑣な考証を最高級な学問というからです。

葉燮が「幽渺（奥深く）を理、想像を事、惝恍（曖昧な）を情」、「理至、事至、情至」と提言しました。彼は芸術の意象（形なき姿）と芸術の風格の多様性を提唱し、だからこそ芸術の生命力が維持でき、そして「日進して病まない」になります。

清朝初期の画家石涛は、絵画実践の探検家、革新家、又も芸術理論家です。彼は、「我之為我、目有我在（我は我ですのは、目あり我あり）」、「捜盡奇峰打草稿（奇峰を集め尽くして、初めて原稿に着手）」といいます。彼の「一画論」は、老子の「道は一を生み、一は二を生み、二は三を生み、三は万

物を生む」の「道」の本体論からです。「道」から「一」、つまり無形から有形です。「一」は道の始まり、そして「一画」が万有の本、万象の根です。

一画は、万物の中に含まれ、一画の落下して、混沌展開となり、形象が生まれます。先に総体的な設計とレイアウトがあり、やがて「一画」が誕生し、「一画」始まってレイアウトが次第に展開します。その故、彼は、絵画が一種美感の創造です。

要約していえば、中国は先秦以後には、哲学からシステム的に美学を研究するのは、少なく、芸術の実践に合わせて芸術の美を論述するのは、少なくありません。中国古代美学思想の特徴に成り立ち、主に以下の面にあります。

システムの上から美学の研究が少なく、然し芸術の実践論述で芸術美を結合するのは少なく無い、中国古代の美学思想の特徴を形成しました。主

に以下の面に現れている：

（一）美の境界

中国の古代芸術家は、美の意境を求めていて、即ち心と物、情と景の統一、主体の感情と自然の客体景物の融合です。彼らは心と物の間にもう一つ仲介—実践があることに気付いていません。審美主体の情意（直覚）—— 実践の筆意（知感）—— 芸術製品の詩書琴絵（意、感情）等、この三つの融合、統一及び調和、正に芸術のシステム美学或いはデザイン美学構成の三つの要素、即ち客体—実践—客体の三つの要素です。主体と客体二つの要素ではなく、または直感、知感、感情三つの要素とも言えます。

例えば、鄭板橋は『題画』の中で、竹を描く過程を「三要素」に分け：第一要素は「眼中の竹」、即ち現実の中の竹の表象、形象と画像の思い感情の融合により生じた「印象」、或いは「直感」です。第二要素は「胸中の竹」、まさしく「印象」が「意象」に変え、芸術家の頭の中の芸術形象に変え、即ち「意象」或いは「知感」です。第三要素は「手中の竹」で、つまり芸術家が胸中の竹から芸術の形象の「手中の竹」に変えるのです。これでわかる絵画の三要素は、即ち表象→意象→芸術の形象、感情です。芸術の三要素を構築しました。それは、審美の主体—実践—作品です。具体的に言うと、印象即ち直感、次は意象(知感)まで、最後に芸術形象（感情）至ります。中にはひらめくも含み、これは、芸術美を作り出す三要素です。

同時に、鄭板橋は、芸術の創造性と風格の多様性に重視し、伝統の継承を主張しながら「古法に拘らず」。彼は、書く前に一格を立たず、書き出すと一格を残らずといいます。つまり書く前に縛りはなく、書き出したら遺憾と定まりを残しません。

その他、鄭板橋は竹を書くのが独自の方法がある：「江館の清秋、朝起きて竹を見ます。煙光日影霧氣、皆枝密林の葉っぱの間で漂います。胸中に勃勃と絵を書く意になり、実は、胸中の竹は、眼中の竹ではなく、それで墨をすり、紙を広げて、筆下ろして作画をはじめ、手中の竹は、また胸中の竹でもなくなりました。つまり、筆を下ろす前に構想を練るのは、定則です。情趣は、技法の外のもの、場に合わせて変化なり。これは、絵画特有のものか！」。鄭板橋の「三竹論」は、緻密で深く観察した中に生まれ、創造芸術美の認識論で、客観芸術美の規律の描写です。

具体的に竹を描く方法については、鄭板橋の見方では：たくさんの竹を描くのが、人々は、難しいと思っています。私は、簡単だと思います。毎日一本の竹を描き、五七日に五七本描けます。すべて間隔等完璧に、次は淡墨で竹、子竹を間に書く、時には密に時にも疎に、時には濃く、時には淡く、時には長く、時には短く、時には肥、時には瘦、筆の急緩で大局ができます。ここで言っているのは、竹を描く時は、難しい大局から着手し、次第に、小竹、淡竹、些細な竹が容易に対処できます。

他のところで彼は、次のように言いました。「いつも大を先に立て、小は容易になります。一丘一壑の描写、小草小花の表現、すべてに難所があります。大きめのも容易な時があります。要は、その人の意境は、いかがにあろう。」「私は、最初竹を描く時、少数はできて、数の多いものは、できなかった。従って多めのができて、少ないのは、できなくなり、このレベルの時は、非常に難しい。60 歳すぎて、始めて枝を減らし、葉を減らすことがわかった。」。この意味も、竹を描くのがちょうど良い状態になるまで、多くも少なくもいけないです。

「千筆淡墨で細竹を描く」「竹を描く時は、意が筆の先、墨は、乾淡兼ねる。」

「竹を描くのは破竹に如き、数本の竹を破った後、全てが自然に解決していき、それ以上着手するところなし、数筆の後、自然に運筆し、それ以上思考はいらない。」

鄭板橋が石を描くことについて：「瘦と曰く、縐と曰く、漏と曰く、透と曰く、石の絶妙な処を尽くしたと言うべき。」これは荘子の哲学：奇と特。

鄭板橋は竹を描く、石を描くことに当を得られるが、書も素晴らしい処があります。古人漢代の隷書を「漢八分」と称す､鄭板橋の書は隷書に行書、草書、更に蘭を描き方、竹葉の筆法を取入れて、自称「六分半書」の独特な書法風格があり、書体に気勢が恢宏し、運筆が自在です。他人の長所を融和し、自分の一格を発揮した「板橋体」と称され、又「乱石鋪街体」とも称され、見事な詩と絵の完璧な結合です。その上彼の書画が真摯風趣し、庶民に愛され、さすが「楊州八怪」の中の代表人物です。

正に鄭板橋が言ったように：四時不謝の蘭、百節長青の竹、万古不敗の石、千秋不変の人、このすべてが高尚な人格の象徴です。彼の作品はほとんどが繁を削り簡略にし、清く瘦せて力強く、濃淡疎密に巧みに富んでいて、思想の奇才、文章書画も奇才です。

更に例え、抗日戦争期間に徐悲鴻巨匠の画いた「奔馬」が、粗野、遊蕩、力有りを表現して、充分に彼本人の愛国、憂える心、滅亡に断固と抗日戦争の信念を体現していました。

この一枚の絵の中に、絵師（設計者）の情は筆先に在り、情が筆中に在り、情が絵中にあると言う三つの結合です。審美の主体が実践と作品との三要素の結合だけであり、十分巧みに作者（設計者）の心境を表現し、抗日戦争期間中及びその後の最も良い作品の一つです。

次、斉白石の描いた「蝦」は審美主体（芸術家）―実践―絵（完成品）の三要素の高度な融合です。奇妙なところは「似てと似てない間」にあります。斉白石のほとんどの絵画作品は、すべてがこのような境界に達しました。斉白石がいう:芸術の奥妙は、似てと似てない間に在ると、似過ぎは、媚俗に、似てないは世を欺いたとなる。当然これも中国絵画にだけ適します。

また例え、敦煌壁画の「飛天」は、北魏期間に、漢と胡の互いに変化し

ている過程に現れた一つの変わり者です。それは翼や羽に頼らず、只漂う衣裙と飾り紐で空高く舞い上がり、人に絶美な想像を与えます。これは中原文化では想像し難いのです。これは文化交流の佳作で、このような想像は、一般的な芸術規則を超え、一種の霊感の迸発です。

（二）構造と効能の統一の美

構造と効能は、すべて多階層で、多方面で構成されています。晋代に「以形写神（形を描くという手段を通して、精神や感情を表現する」の説は、芸術家は客観的現実を反映する際に、外的形の効能の迫真を求めるだけではなく、内在精神本質の酷似の追求、即ち元素の良化、美化によって「伝神」、写神の効果を果たします。例え劉勰の「情を以て文を造り」で、「文を以て情を造る」を反対しています。唐代の画家張彦遠の「意存筆先、絵尽意在（意が筆先にあり、絵を書き終え尽くしても意は依然とある)」、すべてが内容構造効能の重要性を強調しています。と同時に良い形式と効能、及び芸術の中の「形神兼備」、「以形写神」の重要な基準を求めます。実際では構造(多要素)と効能(多方面)の高度な融合を求め、三要素の高度な結合を求め、即ち審美主体、実

践、作品高度な融合を求めています。

構造即ち絵のレイアウト、動き、筆法、色調、段階等です。効能即ち視角言葉のシステムの効果、両者の高度な融合により絵画の最高の美になるべきです。

例え、八大山人の『荷花屏』、その構造では蓮の池、蓮葉の畑、蓮茎の自由な動きに動態感を持つことです。画面の空間、至る所にある自在な活発感で、風韻清新な感じ、人間の煙塵を漂い尽くした勢いを感じさせられます。

例えば、鄭板橋の『柱石図』、自然の物を絵に取り入れ、柱石は清く細く真っ直ぐに聳え立ち、堂々たる気概感、まるで一曲正義な歌のようです。柱石で陶淵明が柱石に与えた人格化された内包を比喩し、構造と効能 (即ち視覚言語システム) の一致で、美の効果に果たしました。

まとめに言うと、中国絵画の表現の手法はあまり単一で、平板で、この根本な欠陥が克服し難いです。

（三）芸術整体最適化上の美の研究

例え「詩品」、「画品」、「書品」は「詩品（二十四詩品を指す）」上で「一字も着けずして、尽く風流を得」等のようになります。

例えば、清朝初期の画家石濤の作品『山水』、『桃源図』は、皆この風格があります。清代の画家、書法家高鳳翰の作品『牡丹』、『山水』等、これは中国の芸術の特色です。実は、この思想は正にエンゲルスがまとめた典型な環境中の典型的な人物です。これで何が全体美化上での美の研究、美の表現、美の創造を深く説明したものです。

例えば 2016 年杭州の G20 会議開幕式の歌舞の出演は、監督の張芸謀が語ると、只一つの意境を作り出す為です。当然全体感の意境で、全体的な美化の意境です。

いえば、中国は一つの芸術の王国で、特に詩歌です。長期間文芸領域の実践で、自己の美学思想を成し遂げました。ただし明らかに西方美学の思想と実践に区別されます。フランスの芸術哲学者ダナの話で言うと、芸術は環境、風俗、習慣、時代の精神により、異なる種族によって決められます。

中国自然に古代ギリシャ、古代ローマと異なり、中世紀の環境もなく、

その上貴族の君主時代や西方民主時代に等しくありません。各々の種族、環境、風俗と思想文化があり、そのため、東西の芸術の違いも十分に大きです。

（四）中国の芸術は簡潔が魂

中国文化中の芸術、詩歌、小説等、特に絵画、詩歌は簡潔が魂を特徴にし、表現は十分に突き出ています。

書法の中の草書と生け花は最も代表性を持っています。例えば明代の芸術家徐渭。特に明末清初の画家、書法家八大山人、彼の作品が最も典型的にこの点を表したのです。彼の作品を見て見ましょう：

八大山人の魚、鴨、鳥等の姿は頑固で、冷艶、奇妙な顔つき、目玉が上向き、白目で世間を見つめ、白目で世界を見ている表情を展開しています。簡潔な筆使い、びっくりする表情を表現し、形、感情も兼備ます。渾然で神業、筆墨が極めて簡単、寓意が極めて深いです。

八大山人の作品「蓮の花」、絵の上に只一本の細いハスがあり、一つの斧のようで、傲然と直立し、画面を突き破り、真っ直ぐ大空を指し、簡単で意味が深くです。

八大山人の作品「眠鴨図軸」、筆墨が洗練、絵の中に只一羽の眠っている鴨がいて、首を隠し目を閉じ、一塊りに丸まった姿。周囲が一面の空白で、果てしがない水面、目に見える限り広々とした孤独な情調に連想させせます。

八大山人の作品「孤鳥」、画面の左下側に斜めて一本の枯れている枝が出て、一羽の小鳥が細い爪足で、枯れている枝の末処に立っています。広げようとしている翼、精巧明晰な目が、世間を見つめています。画面が極めて簡単で、何もなし、孤独で頼る物のなさがあります。

八大山人の作品「荷花水鳥」、画面に怪石が倒立し、一羽の身を縮め背を聳えている水鳥が寂しく怪石の上に立っています。一本の枯れた蓮が水鳥の頭頂の上方に逆に垂れさがり、水鳥が随時に慌て逃げる準備をしようとしています。この作品、濃墨を用いて簡潔に、傲慢冷淡な、悲涼感傷的な気配を出しています。人に重くて、抑圧感、冷遇寂寥感の心境を与えられます。

八大山人の作品「鶏雛」、全体の画面の中にタダ一羽の雛がいます。雛は画面中下部にに置かれ、小鳥の頭部は左向き、そのふかふかで前傾の姿や、怖じけてる表情は、まるで殻から出てきたばかりです。見知らぬ世界を直面し、毛の色も乾いていなく、脚も真っ直ぐに立てず、頭を突き出してキョロキョロ見回し、まるで歩き始めている子供のようで蹣跚に脚を運び、慎重に探察しながら前に歩き進みます。この絵は非常に簡単な筆法を用いて、人に果てしない想像の空間を与えています。

八大山人の作品は筆法が簡潔、心地よく痛快感があり、画面にしばしば広い面積の空白になり、然し人を深い味わい感じさせせます。作品の「魚」も同じく、筆法が簡単、意味が深く、少ない何筆で、鯰（ナマズ）の特徴、気韻を充分に表現します。この作品は最も八大山人の芸術神態、芸術精神を代表し、これも中国芸術美の代表作です。

簡易の方法を軸とし、少を以て多を勝ち、これは中国芸術の精神、芸術美の思想を正確に表現しました。

八大山人が魚を描く時に、水を描かない；斉白石が蝦を描く時に水を描かない、水は画面に残した空白として、鑑賞者を依然と魚や蝦が水の中に泳いでるように感じさせます。芸術家の筆数が少なくても、限りない情趣、これこそ芸術最高の境界です。

斉白石が八大山人の芸術精神を継承し、簡（簡潔）を魂として、彼が多くの優秀な作品を創造し、後世に残しています。彼の作品の中の花、鳥、虫、魚、同様に簡を美しくし、これが中国芸術美の精髄です。最小作用量原理の功能を体現し、即ち節能だし、節時間の張力です。その簡潔がないし黒と白を主にした絵画になり、これも老子思想の精髄です。然し簡易さが極端になると、反対な効果が生じるので、これも一種の規則です。

このような簡潔な原則と方法は漫画、アニメ、各種の絵画と工事設計等々に適合します。芸術が一つの民族美の特徴として、中国の書道は簡を魂とするのは最も中国の特徴を持っています。書道が自由と多様性の曲線運動と空間の結構に進化し、様々な形態、感情と力量に再現し、中国の四角な文字の独特な書く芸術になったのです。いわゆる作者の感情、意識、理念等々、正確に言うと、これはこのような複雑な心の中の各種線の運動の表現で、一種独有的な、色のない線の世界と境界の存在です。

それが日常生活美の中に現れ、中国人は無地な色が好み、暗いの、灰色の、年寄りは一層そうです。しかし西洋人は正逆で、西洋の年寄りは更に鮮やかな色が好みます。

西洋は一つの明瞭多彩な世界で、まるで自然美、体形美の色、光彩、動態な世界を再現するようとしています。比べると、中国は一つ平淡な黒と白の世界です。

ギリシャ神話の中で、既に「愛の神」と「美の神」(アプロディーテー)があり、著名なトロイア戦争は愛と美の為の戦争です。その中から中西美学の大きな差異が分かるのです。

（五）中国絵の不十分な点

元朝の饒自然が『絵宗十二忌』で次のように示しています。「布置迫塞、遠近不分、山無気脈、水無源流、境無夷険、路無出入、石止一面、樹少四枝、人物傴僂、楼閣錯雑、滃淡失宜、点染無法。」最も重要なのは遠近不分（遠近がわからず)、人物傴僂（人物の背が曲がっている)、点染無法（筆使いに基本がない）等。

「人物傴僂」はまったく理解できず、まさか中国古人の腰が本当に伸ばせないでしょうか？

南宋の画家梁楷の作品『李白行吟図』の中で、頭を上げて、洒脱、闊達な詩仙の姿を表現したのです。この絵は簡潔豪放な筆使いで、数筆だけで、詩人が吟じながら歩いている姿を生き生きと描き出しました。

これは一つの例外の頭を仰あげて胸を伸ばした中国人です。

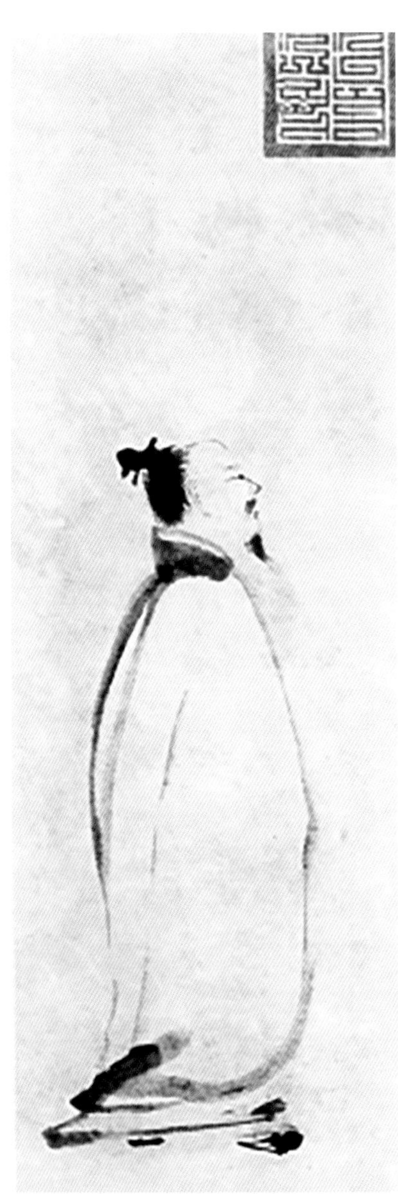

中国絵画は水墨画を主とし、ただ黒、白、灰色の変化にあり、これは中国絵画の主導的な形です。絵画の中で墨を二つの色に分けるだけでわなく、それを無限の空間に想像し、色と諧調、これは意識上の局限が理解できない程度に達したのです。これはやむを得ないで、出来るのにしないのではないのです。

絵画（中国絵画）が宋朝以降発展があったのです。ただし当時の経済技術の不発達や時代思想の局限に限られ、15 世紀の油絵の発明家—イタリアのヤン・ファン・エイクような人が欠けていたからです。絵画上で簡潔な方法を求めるだけで、根本から遠と近、明暗、色、質感、形、配置等の問題を克服できず、これらの不足は、ずっと絵画及びその他文学芸術の進歩を影響し、中国文化芸術の越えられぬ障害となったのです。

そのほか、中国は絵を論じて絵を見なくて、只古傳、考古に偏愛します。注意力を絵の考証､生平業績とか､詩文、題跋、真偽、収蔵の上におき、これは中国人審美の特徴で、これも清朝詩人葉燮が反対していたいわゆる「考訂証拠の学」です。

又、美学理論及び絵画視覚言語システムの関係において、南北朝以来「気韻」、「神気」、「霊性」、「意境」等のテーマを言い出した後、「気韻が生き生き」、「意境巧妙」、「筆墨精微」等芸術理論及び絵画界で最高至上の権威を樹立しました。絵画の結構、配置、勢い、筆法、色調がすべて重視されませんでした。これは恐らく中国人が敏感に乏しく、惰性によるものでしょう。このような高談神韻と写意を借りて、自分の懶惰と空虚を隠したのでしょうと魯迅は言っています。

古代から近代までの中国絵画と西方絵画が、完全に相反する二つの道を歩んできました。例え宋代以後、主流の文人画が絵画の感覚器官の吸引力を反対しています。陳独秀がかつて、もし中国絵画を改良するならば、初めに「四王」の命 (即ち王時敏、王鑑、王暈、王原祈) を革り、西洋絵画の写実精神を採用するのだと主張しました。

東西方芸術美の文化発展の中で、まるで類似結合と相違調和の統一の過程です。西方古代の「迫真」、「再現」と中国伝統の「意念」、「写意」、「表現」は、二つの芸術美が文化上の差異で、近代になって徐々に「新説を立て」、「個性を出す」の方向に融合しているが、差異性が依然と相当大きいのです。

（六）美学哲学の思想上は単一、保守的

二千年前からの老子の哲学美学が「道」、「気」、「象」、「有」、「無」、「虚」等を言い出し、今になっても依然と中国美学哲学の核心で、実質上の変化はありません。

「道」は有と無、陰と陽の統一です。荘子が「道」は最高絶対的な美だと語ります。

唐代の詩人王維は「道」が最も素朴で自然界の五色を含み、また自然界の五色を生じたと認識しています。彼は墨色が最も「道」に近く、最も自然本質の創造に近いと思います。これは王維が前進した発展です。

五代の画家荊浩は『筆法記』の中で、水墨の色が最も自然の色に適し、山水画の意象が「真」の要求に達し、自然本体の生命力—「気」と「道」を造化します。この言い方は新意がありません。

唐代の詩人王昌齢は彼の『詩格』の中で詩の境界が三つに分けます。物境、情境と情調です。山水の形を描くのは物境で、景色の情を描くのは情境で、物に託し志を言うのは情境です。これは意境学説の三分法で、しかし美の本質に語れていません。

晩唐時代の詩人司空図は「道」を「意境」に変えて、これは美学思想を既に一定の不可思議な程度に達しました。『二十四詩品』の中で、宇宙の本質は「道」で、意境が美学の思想本質を表現したと思いています。

明代の思想家李贄は、ただ「童心」こそが人性の本然状態を表すことができると思い、これは西洋の写実思想に近いのです。

清朝の詩人葉燮は、万物が「理」、「事」、「情」を用いて分析し、これも美の本源だと思います。

清朝の画家石涛は、「道」から「一」までつまり無形から有形にと思い、「一」は「道」の始まり、「一画」はすべて有の本で、万象の根です。即ち一画は万物の中に含まれ、一画が筆下、混沌展開し、形が生まれます。これは荘子思想のもう一つの表現です。

最後に老子の「道」千百年の変化を経て、石涛の「一画論」になります。この変化の過程が、中国の哲学美学思想の単一、保守的な性質と趨勢を表明しました。中国美学思想の範疇も陰陽論の両極構造に限り、さらにこれを以て複雑な美学システムを表現することは非常に困難です。例え、心と物、形と神、情と境、妙と悟、虚と実、神と韻、静と動、神と気、濃と淡、熟と補、合と同、情と理、雅と俗、形似と神似、風格、意象、形神兼備、情景交融け等々、すべてが両極構造の範疇です。

もっと重要なのは西洋美学思想との交流が欠いていることにより、中国芸術及び思想が前へ発展するのは非常に苦難ですが、思想単一の責任を全部老荘子の体系に押し付けてはいけません。

我々の知っているように紀元前136年に、董仲舒の「天人三策」の中に、「大一統」という儒学思想を提言し、政治の「大一統」を保証するため、「罷黜百家、独尊儒術」の主張を実行し、漢武帝に認めてしかも採用したのです。それ以降「孔子廟」が家の廟から徐々に「国家の廟」に昇進し、「大一統」儒教の思想が中国で二千年くらいも渡ってきました。そのゆえ、結局は漢武帝から始まった儒学の制度化と社会制度の儒教化が、儒学を宗教化、国家化の道に踏みこみ、そして思想単一の結果になり、これは最も根本的な原因です。

第三章　美学の方法論

美学の方法論とは、「システム哲学」の思想理論および方法で、つまりシステム科学を高度に抽象した後の科学哲学の理論体系です。

1968年アメリカのボーナムは、システムアプローチが、現在状況、技術条件の下での主要な研究方法となると提言しました。

システム理論は、相対理論と量子力学の後に継いでの、もう一回世界科学図景と現代科学者の思惟方式を変えたのです。きっと自然科学およびすべての人文科学の領域に深く影響を与えます。

一、マルクス・レーニン主義者の科学論述

マルクスは、「具体は、具体と言われるのは、様々な規程の総合により、多様性の統一のためだ」[1]と指摘しています。例え、どの社会の再生産の過程も、生産、交換、分配、消費の四つの部分の有機的な組み合わせの統一体で、社会の再生産が正常に進むなら、この四つの部分の調和発展が必要です。どちらが重要、どちらが重要でないことは、ありません。更に「個々の単独の資本の循環は、互いに交差、互いに前提になり、互いに条件になり、そしてこのような互いに交差により社会の総資本の運動が形成します。」と指摘しています。[2]

エンゲルスは、「我々の面する自然界の全体は、一つの体系になっていて、即ち各々の物体は、互いに関係をしている総体で、……これらは、互いに関係し合っています。つまり、各々互いに作用をしていて、そしてこの作用こそが運動になっています。」[3]

「もしある人が一般的な言い方で彼らに言います。一と多は、分離できなく、互いに浸透している二つの概念で、しかも、多が、一の中に含まれ、ちょうど一が多の中に含まれると同様に、……あらゆる多様性と多は、す

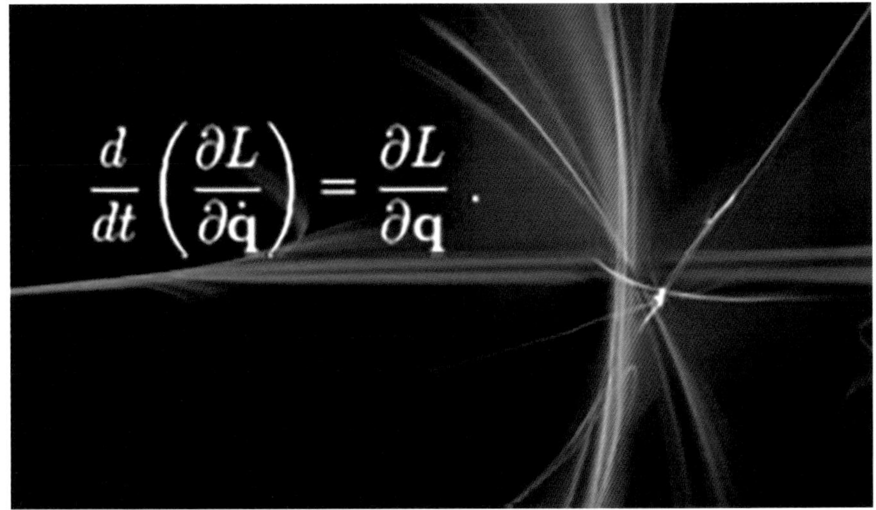

1 『マルクスエンゲルス文集』第8巻、人民出版社 2009 年版．P25.

2 『マルクスエンゲルス文集』第6巻、人民出版社 2009 年版．P302.

3 『マルクスエンゲルス文集』第9巻、人民出版社 2009 年版．P514.

べて初見、こんな簡単な概念の中に含まれています。」[1]

ここでエンゲルスは、明確に一は、多に分け、多を合して一になるの思想を提出しました。

簡単な二極対立の考え方に対しては、エンゲルスは、「この方々は、欠けているのが、弁証法です。彼らは、いつもここで原因を見して、あちらで結果を見ているのです。これが空洞的な抽象で、このような形而上学の二極対立は、現実世界の危機の中だけに存在し、全体の偉大な発展の過程中では、互いに作用の形式の中で行っていることを彼らは、見えていません（互いに作用の力が不適当かもしれないが、中の経済運動は、最も強力で、最も原始的で、最も決定性的です。）ここでは、絶対的はなく、すべては相対的です。」[2]

レーニンは、「各種現象の一切方面（しかも歴史が絶えず新方面を掲示している）は、互いに依存し、極めて密接にかつ分割できなく繋がっています。このような関係は、統一的、規律的な世界運動過程を形成します。――これは、弁証法のこの内容の更に豊富な（通常と比べて）発展学説の若干特徴です。」と指摘しています。[3]

「弁証法は、互いに関係ある具体的な発展の中から全体的にこの関係を推量し、決して東から一点を出して、西から一点を出すようなものではないです。」[4]

「（客観的）弁証法の中で、相対的と絶対的の差も相対的です。」[5]

毛沢東は、ピアノをうまくマスターするには、十本の指がすべて動かすことで、動く指と動かない指があるのではないと指摘しています。「……一部だけの問題に注目して、他は捨てるのではありません。すべて問題あるところを満遍なく配慮する方法を、我々は、学ばなければなりません。」毛沢東は、更に「全世界の事は、複雑で、各方面の要素によって成り立ったものです。問題を見る時は、各方面から見るべきです。」[6]

1　エンゲルス：『自然弁証法』．人民出版社 1984 年版．P166 － 167.

2　『マルクスエンゲルス文集』第 10 巻、人民出版社 2009 年版．P25.

3　『レーニン全集』第 26 巻、人民出版社 1988 年版 P57.

4　『レーニン全集』第 40 巻、人民出版社 1986 年版 P288.

5　『レーニン全集』第 2 巻、人民出版社 1995 年版 P557.

6　『毛沢東選集』第四巻、人民出版社 1991 年版 P1442, P1157.

毛沢東は全面経済を把握するのに、囲碁の一局のように見ます。つまり全国が一局の囲碁だと言っていました。毛沢東は、「仕事方法の六十一条」に両端を把握して中間を引っ張っていくと言い出しています。

鄧小平は、「音楽団の指揮者に慣れるよう学ぶべきです」といい、更に建設的な意見の「一国二制度」を提言しています。

マルクス主義の経典著作の論述によると、我々は、三点の結論が得られるに違いないです。

1、無条件の絶対性は、存在しません。我々は、昔「闘争は、絶対的」、「運動は、絶対的」、「非平衡は、絶対的」等等と行っていたが、これは、マルクスレーニンの本意に適わないのです。

2、すべての物事を「両面的な観点」で見て、両面的の対立と統一という見方も足りません。物事は、すべて「多」によって構成したシステム全体で、俗に言う一分為多（一は多に分ける）、合多為一（多を合して一になる）です。このような思想によって一分為二（両面性）の観点を大いに発展と豊かにしました。矛盾する観点からものを見て、システム的な観点からものを見て、その結果は、同じではなく、矛盾観も関連を語るけれども。

3、我々は、以前、マルクス・レーニン主義の「二点論」、「矛盾論」ばかりを研究してきたが、マルクス・レーニン主義の全体思想を無視していたのです。本当は、マルクス・レーニン主義の内容が非常に豊富で、深いシステム理論です。[1]

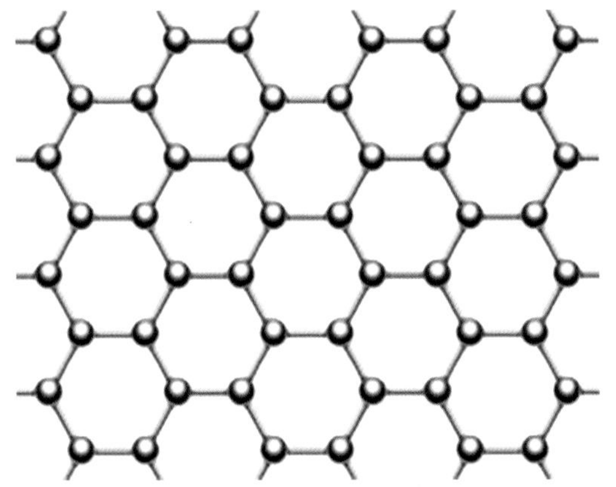

1　烏杰主編『マルクス主義のシステム思想』　人民出版社 1991 年

二、システム科学の思想は未来の理論思維

システム思想が現代科学発展の趨勢を反映していて、現代社会化の大生産の特徴を反映し、又現代社会生活の複雑性も反映し、システム理論と方法が広く応用されることができたからです。

システム思維の方式が、現代科学の発展に理論と方法を提供しただけではなく、また現代社会の中での政治、経済、軍事、科学、文化等の面の様々複雑な問題を解決する為に方法論の基礎を提供し、システムの観念が各領域に浸透しつつあります。

中国科学院と、新華通信社との連合予測グループが、「21 世紀が人類に重大な影響のある十大科学技術の行方」を予測しました。その中の第三番目は地球システム科学が、全世界的、統一性の総体観、システム観と多時空の尺度から、地球システムの総体行為を研究するのです。

地球システム科学の突破的な発展は、人類が生存している環境をよりよく認識でき、突然の災難変化により人類にもたらした損害を有効的に防止と制御する事ができるのです。２０世紀 80 年代まで、基礎理論レベルのシステム研究も、主に複雑な問題を研究する方向に転じたのです。

ヨーロッパの学者、特にイリヤ・プリゴジンが、「複雑性の探究」という高らかなスローガンを言い出し、複雑性の探究を伝統科学に超越した新しい科学と見なし、広範な影響をもたらしました。

イリヤ・プリゴジンとハーケンらは自信満々にして、各自の理論と方法を生物学、経済、社会等複雑な現象の領域に広めて、活用すると、複雑性科学の設立に着手し、世界複雑性探究の重要な学派を形成したのです。

1996 年頒布した『米国国家科学教育標準』の中に書いてあるのは：「幼稚園から 12 年級の教育活動で、すべての学生が下記の観念と過程に関連する理解力と能力を培養すべき：システム、秩序と組織；証拠、模型と解釈；不変性、変化と測量；演変と平衡；形式と効能」。続けて『標準』に：「自然界と人工界は複雑的で、それらあまりにも膨大過ぎて、あまりにも複雑過ぎて、一気に研究し理解するのは不可能だと解釈しています。調査研究に便利です為、科学者と学生が小部分から定義して研究を行うことを身につけるのです。研究する単位を「システム」と称します。システムは関連する物体または総体を構築する各部分の組織ある集合です。例え生物体、

機械、素粒子、銀河系、概念、数、運送と教育等すべてがシステムを構成できます。」これでわかる、システム及びシステム科学が、すでに現代の最も総合性的、最も価値ある、最も重要な基礎概念と科学となります。

世界範囲で複雑な研究の高揚の中で、最も注目を集めたのは、1984 年成立した米国のサンタフェ研究所（SFI）です。彼らの壮大な志は、生命、経済、組織管理、全世界の危機処理、軍備競技、可持続性発展など今の世界のあらゆる重大な問題に向けて、空前規模の科学の超える研究を展開し、複雑性システムの一元化理論を建て、その実質は、システム科学です。

三、エンゲルス「納得する体系」

エンゲルスが『ルートヴィヒ・フォイエルバッハとドイツ古典哲学の終結』（1886 年著、1888 年単行本）の中で「自然科学の領域中の各画期的な発見につれて、唯物主義も必然的に自分の形式を変えるべき」と言っています。その後文の中で、彼が引き続き「この三大発明と自然科学のその他巨大な進歩によって、我々は現在自然界中の各領域内の過程の間の繋がりを証明できるだけでわなく」と論述し、……しかも「システムの形式に近く、一枚の自然界に繋がり明晰な図画を描けます」。

この論述には四つの問題を研究する必要があります。一つは何が「画時代的な発見（画時代：画期的な、時代を開く）」；二つは 1886 年以後画時代的な発見は有るかどうか；三つは何が、唯物主義の必然的に変える形式；四つは何が、人に納得できる自然体系。

第一、1886 年以前の「画時代的な（時代を開いた）発見」。

（1）1543 年コペルニクスの「天体論」から打ち出した「太陽中心説」が、約一千四百年以来のアリストテレス、トミレの「地心論」を覆し、史上コペルニクス革命と言われています。何故なら「地心論」は『聖書』に符合しており、地球は上帝が創造したと、バチカンは全球の中心です。

1616 年、「天体論」が教会に正式に二百年くらい禁止され、当時コペルニクスの学説が既に人々に受け入れられたからです。ブルーノがコペルニクスの学説を守るため、7 年間閉じ込められ、最後火刑の柱の上に焼き殺されました。

ガリレオ・ガリレイが、1632 年に『トミレとコペルニクスの二大世界体系の対話』が出版され、数字及び科学実験の方法でコペルニクスの学説を実証しました。1633 年教皇が、彼を終身監禁に判決し、343 年後の 1979 年に要約晴らされました。

（2）1687 年、ニュートンが『自然哲学及び数字原理』の一冊の中で、絶対的な時間、空間、運動、静止を打ち出し、又も宇宙の無限、多中心を打ち出しました。

第二、1886 年後の「画時代的な（時代を開いた）発見」。

1900 年プランクが打ち出した「量子論」；

1912 年ボルの相補原理；

1927 年ハイゼンベルクの不確定性原理により、量子理論の形成；

1905 ―1915 年、アインシュタインの相対性理論；

1922 年ソ連人フリードマンが数字の計算で宇宙の膨張及び収縮模型を提言；

1929 年ハッブルが宇宙は膨張していると実証；

1948 年ソ連人ガモフが熱爆発の模型の打ち出し；

1951 年ボル教皇が大爆発理論の正確を宣した。

または、遺伝子理論、DNA 二重螺旋の模型、クオーク模型、元素周期律、大陸の漂移学及びプレート学説、宇宙大爆発理論、システム論、控制論と情報論等々、これらすべてを「時代を開く発見」と思われます。

1873 ―1886 年エンゲルスがこの文章を書いた以降、世界上で少なくとも十種類くらいの「時代を開く発見」がありました。故に、唯物主義も必然的に自分の形式を変えるのです。

第三、認知の啓発と「変えるすべき形式」

1886 年、エンゲルスが『自然弁証法』書き、これは草稿です。1925 年ソ連人に整理された後に公開発表され、間もなく、ソ連は 1888 年に出版した『自然弁証法』に基づき、哲学の題材を編集しました。

中国人が 20 世紀 50 年代にこれを大学に導入し、以降哲学体系がこれ以上の変化はありません。

ただし 1886 年以来、これら「時代を開いた発見」の中から我々は、以下の内容がわかります：

（1）相対性理論及び量子理論等は、ニュートンの絶対空間間を否定し、時間、空間、物質、運動の統一性と相対性を掲示しました。散逸構造理論が相対性理論と量子力学の中の時間可逆性を否定しました。概念の叙述から過去と未來の対称性を打ち破り、また「クラウジウスの‘熱寂論’」と「ダーウィンの進化論」の矛盾も解決し、一つ活きている生成進化の世界を叙述しました。フラクタル理論が思うには、断片の個体が総体に進化し、自己相似の濃縮の再進化の過程です。こうして一つ重要な方法論原則を打ち出しました。『易経』の中で相反し生成すると言い、実は相似生成する事です。

（2）時間の認識に対して：飛行機の中で地球を一回り、一秒長く活きられます；四次元時空と十一次元時空空間。だが、人間の頭脳はまだこのような境界まで進化していません；我々は三次元時空の二次元（例え映画）だけが見ることができます。しかも我々が見えた宇宙は過去形 8 分後です。

（3）時間の速さと遅さ、権利、財産集中の速さと遅さの関係。時間は権利で、富です。秩序は富、またも権利です。

（4）時間の形態：量子化（時、空、物は不可分）及び方向性です。

（5）人類の時間と物質システム進化の時間の区別：可逆と不可逆です。つまり各物事のシステムは、各粒子すべてが自分の独自な時空を持っていると意味します。例えば物質の存在の三種類の基本的な場は、実物の粒子の場があり、規則的なボース粒子の場があり、ヒッグス粒子の場があります。システム物質が、時間に対して単向性があり、即ち時間の矢です。時間を理解したら、基本的に物質及びその世界がわかるようになります。

（6）ラプラスの決定論を否定し、ミクロの世界の統計規則を掲示し、例えば、市場とマクロ社会は一つ複雑なシステムです。長期行為の予測不可能性、突発的な「バタフライ効果」があります。ミクロ世界とマクロ社会の統一性、急変性、整体性、それらが共に一つの大きなシステムを構成します。

（7）システムが急変の可能性とシステム物事の演化の過程の不可逆性、量子性、量子の振動及び確定性による内在的な偶然性を引き起こします。

（8）量子場論が粒子と場（波）の対立を統一しました。エドワード・ウィットが幾つかの弦理論を総合し、五種の弦理論は異なる表現の方式を持つと思い、そして数学により十一次元時空を算出し、人間の脳の進化の有限性がこのような現象を体験できないからです。弦は、クオーク及びすべての粒子を構成し、各基本粒子が「弦」の一つの振動様式に対応し、まるでギターの某弦の振動のようです。物理学者は、数学上にこんなに優美な理論は、不真実ではないと信じています。例え映画は二次元で、多次元を表現しています。

（9）左右非対称は自然界の基本規則で、奇点の時は、最も対称する現在宇宙は非対称です。従って、ミクロの基本粒子とマクロの物質と真空を統一し研究するこそが「全体統一」です。

(10)マクロ演化の序列とミクロ演化の序列に交叉点が現れます。例えば:

① 全体恒星系の起源と基本粒子及びクオークの起源上の交叉点；

② マクロ演化上の岩石の現れ及びミクロ演化上の結晶体の出現の交叉；

③ 社会発展と生物個体発展で人類脳の交叉の出現。

従って、宇宙システムの全体研究は非常に必要で、ここで物質システムが演化上の統一性と協同性を説明しています。宇宙から原子、さらに人類まで、数字上は、物理常数によって決まります。

（11）引力があれば必ず斥力があり、しかし斥力を発見しなかったです。また、磁気単極子は左右非対称が自然界の基本規則です。宇宙の中で反粒子は非常に少なく、物質と反物質は非対称です。陽電子と電子も非対称です。もし我々人類が対称であれば、我々は湮滅します。しかも宇宙の中の90%以上の暗黒物質は、我々が知しません。我々のいる世界は、我々が感じて測れる世界です。

ただし亜原子粒子の世界の中では、因果関係の概念は存在しなく、残りは「可能性」だけです。大部分の複雑なシステムがすべて自発の過程の中で形成しています。

（12）人文科学の中で、例え政策では、表面から一致しているように見え、対称のように見え、実はまたも非対称で、政策を実施する環境が異なっているからです。

政策は周期性（量子振動）があり、確率分布の確率性、激変性を持ち、また時間性、不可逆性があります。従って、政策が同じけれども、効果は同じとは限りません。

各国経済周期の収束化、ボーダーレスエコノミーの現れ等で、すべてが政策の量子振動及び其の非周期性とトランススケールの対称性を説明しています。

（13）人文科学の中、一定の空間の中で、生産力と生産関係は相互に決定されます。経済基礎と上部構造は相互に決定されます。社会存在と社会意識は相互に決定されます。等々。

そのため、システム思想及びシステム哲学は伝統理論が形式を変える新しい標準形です。

最も重要な一つの事実は、我々の忘れてはいけないのは、1924 年６月３０日に、アインシュタインがバーンスタンへの手紙の中で、エンゲルスの『自然弁証法』原稿に評価して、書かれたのは、「もしこの原稿が歴史人物として人々に注目されてない作者なら、私はその印刷に推薦しないと思います。現代物理学の観点からにしても、また物理学史の面から言っても、この原稿の内容は特に興味が持ちません。ただし私はこのように想定します。この著作がエンゲルス思想の意義を解明するのに対して面白い文献と考えれば、出版してもいいでしょう。

四、銭学森などの方の論述

１、銭学森が「毛沢東の思想核心の内容は全体から問題を認識します」と指摘します。実際に少し研究さえすれば、システム思想はマルクス･レーニン主義に、毛沢東思想と鄧小平理論に一致することに気付き、マルクス･レーニン主義の新しい形態なのです。

２、1982 年銭学森氏が、社会主義現代化を実現するには、新たなシステムプロジェクトが必要で、我々はそれを社会システムプロジェクトまたは社会プロジェクトと呼び、社会改造、社会建設と社会管理の科学だといいます。

３、1986 年１月７日銭学森氏が、我々は現在改革をやっているといいます。改革に対して、我々の先見性が限られていて、俗でいう「踏み石を探って川を渡る」、一歩を歩み出して、一歩を確認します。実際は、石さえ触れず、踏み出したのです。

我々は人工衛星を飛ばし、もしも一歩を歩み出して、一歩を確認していれば、特に飛ばしています。何処までに飛んだのかもわかりませんでした。理論がないといけますか？……この先見性は何から来るのでしょう？科学からですが、この科学は何ですか？それはシステム科学です！

4、1986 年 1 月 7 日銭学森氏が又語った：システム学の成立ちは、実は一回の科学革命であり、その重要性は相対性理論や、あるいは量子力学に劣らないくらいです。

5、1987 年銭学森氏が、国家の功能は一つの総体だと言いました。

6、1995 年 1 月銭学森氏が、21 世紀に向かって、三次産業革命（第五次情報産業革命、第六次遺伝子プロジェクト産業革命、第七次人体科学産業革命）、さらにシステム科学、システムプロジェクトを加えて、組織管理革命を引き起こし、中国を第三次社会革命に推出し（1921—1949 年、1978—2050 年と 2050 年以後）、中国歴史上に過去にない繁栄さと強力さが出現しました。

7、システム科学は国を治める方法です。

五、システム理論と伝統思惟

システム理論とは中国の伝統文化と上等な結合ができるのです。東洋人と西洋人の考え方に明らかに異なる処があり、これは東西多くの学者の共通認識です。我が国の著名な学者季羡林先生が、「私が東西文化の区別は、最も根本的な現れは、考え方にあります。東洋人の考え方は総合的で、西洋人の考え方は解析的です」。確かに、東西人は哲学、政治、理論、文学芸術、乃至農業、天文、地理、医学及び保健養生等の面での異なる見方を観察すれば、東洋人と西洋人の考え方の差異には、どれだけ明白なのかは発見できます。中国人の深層心理の構成と特有な考え方は、彼らが必然的更に多く価値論上の大一統（整体、エスニック、社会、家庭）に注目し、論理学上の従順、先祖の三綱五常を尊び、及びイデオロギー方式上の陰陽学説、（天地観、天人合一）群体の和楽を個体の生存発展前提の独特な考え方として、全体の中国の哲学、政治、経済と文化の伝統思維の中に浸透し、総体を重視し個体を軽視し、局部の存在と価値が総体に頼るものと認識します。これは一種の朦朧、荒っぽいと原始的な総体考えだと思われます。

システム標準形は、人類の考え方「実物中心論」から「矛盾中心論」までさらに「システム中心論」までの進化と演化です。

無論自然界、人類社会、また人の思維にしても、いずれの表現はシステムになります。システムは総体的な概念で、最大な包容力と被覆面にあります。システム概念と物質概念は、同等意味の概念です。例えば、皆様が世界は物質だと認めていますが、我々は物質がシステムだと知ってます。システムと物質明らかに同等な意義があります。それは人々の観察の角度が異なるために反映しています。なので、我々はシステムのない物質と物質のないシステムが存在しないと完全に言えます。そして自然美は物質と関係しています。

我々は忘れられないでしょう。

確率化の革命が、我々の世界観、人生観を変えました。

確率が、決定論と非決定論の違いを打破しました。

偶然性、変化性、多様性は、簡単性、必然性、安定性に比べてもっと普遍的でもっと基本的です。

マクロ上の不可逆性は、ミクロ上のランダムの表現になります。

過去と未來は不対称です。

要するに、システム標準化は、科学的思想及び方法、簡単に以下数箇条にまとめられます：

第一、世界上すべての物事は、内在要素（元素）によって構成されています。システムの総体効能は 3>1+2 です。これはシステム構成した効能の非相加性及びその新システム（総体階層）の生成で、各要素が孤立で備えない新しい性質の現れ、或いは低階層に備えない新しい質の現れです。

第二、要素の間に複雑な非線形の関係が存在します。結構の全体が複雑

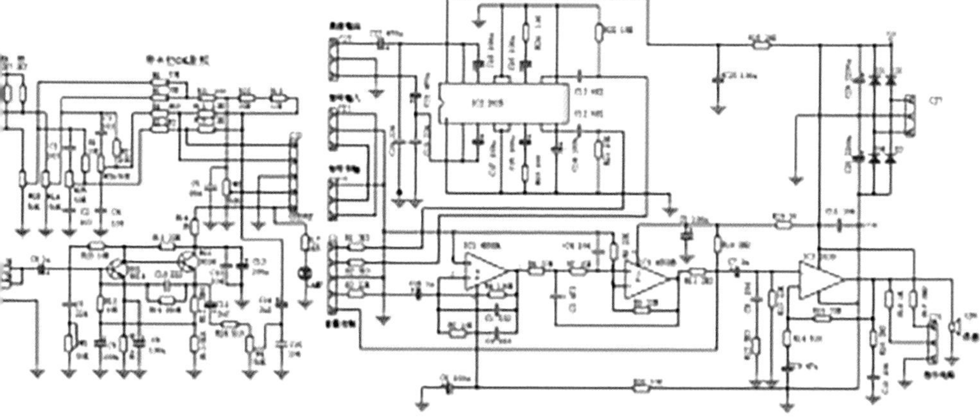

性を持っています。全体を知るのに要素を知るだけではなく、要素間の関係も知ることです。即ちこの間の関係性（例え現在中国の産業結構、社会組織）、縦方向の構造と横方向の構造も非常に複雑です。

第三、システムは進化するもので、産業、発展、消滅の歴史過程があり、この過程は不可逆転で、時間も不可逆なものです。臨界点の上で様々な選択と急変の可能性と結果の予測不可性があり、システム行為の軌跡は絶対的、必然的ではなく、条件のあるものです。

第四、システムの構造が、システムの効能、行動を左右します。例え、ダイヤモンドと石墨は、分子が同じく、ダイヤモンドが目映いほど美しく硬いもので、石墨は真っ黒で柔らかいものです。ダイヤモンドの分子内の炭素原子は立体的で、石墨の分子内の炭素原子は平面です。これらを構成した炭素原子配列が違うため、性質が異なる結果になります。また例えば、経済機構、産業機構、管理機構（マクロ効果を左右する）；さらに例えば、漢字の太と犬(構造の順序)、「木」、「林」、「森」と「火」、「炎」（量の互変）；又宇宙は三種の基本粒子（クォーク、レプトン、ボーズ粒子）と四種の基本力により構成した序列構造です。

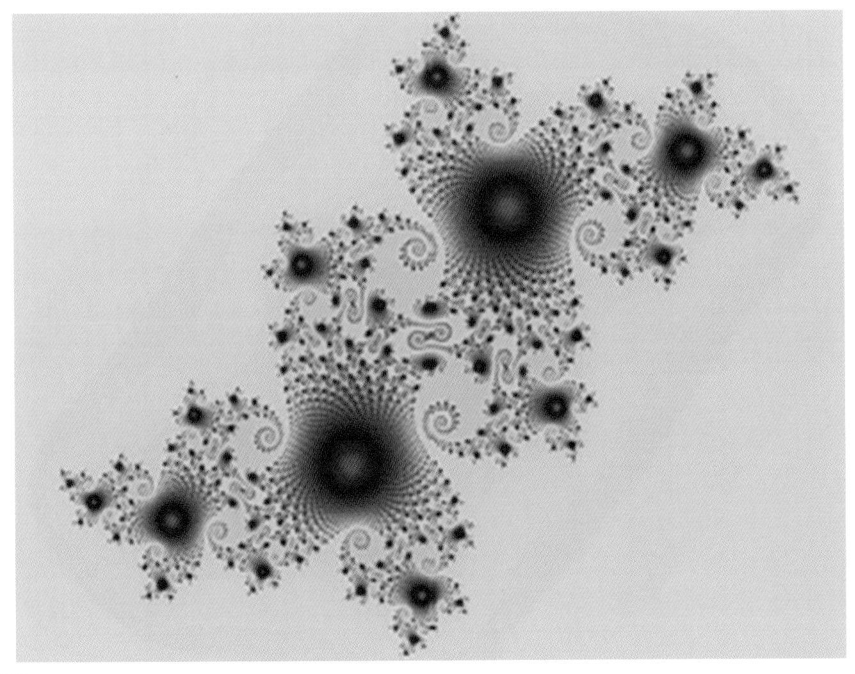

人間は九十種類以上の元素によって構成された有機体です。DNA は四種異なるウリジル酸（A、G、C、T）が時空の中で異なる排列をし、四種の異なる核酸が、二十種類余りのアミノ酸を構成され、二十種類余りのアミノ酸がすべてのたんぱく質を構成され、生物の多様性（高級な動物：人間を含む）を確定します。

第五、システムの演化は、多階層で、多方位な過程で、大きなランダム性があり、長期行為で不確定性があり、突発的な「バタフライ効果」があります。

第六、システムは、開放性を持ち、外部の環境と能力、物質及び情報の交流を行なっております。

第七、価値観の上で、各要素をすべて最適化に要求せず、システム全体の最適化することを求めます（美化）。一定の条件の下で、最適化は相対的です。例え飛行機、車、機械の総体設計の最適化（美化）の要求。

具体的な方法は：（1）システムの総合方法；（2）システムの自己組織化方法；（3）システムの全体方法；（4）システムの構造方向；（5）システムの共同方法；（6）システムの階層方法；（7）システムの解析方法；（8）

システムのプロジェクト方法。社会の様々な業種に応用でき、これは一種機構管理の方法（または技術）、例え最適選出法、統一法、待ち行列理論、

対策論、プロジェクト経済、総合集成、コンピュータ模擬検索理論等があります。主要な手順は：目標選択、システム総合、システム分析、構想最適化、最適アイデアの確定、構想の執行、その中に全体企画設計、システムモドレと擬似等が含まれます。このような方法は、マクロやミクロの管理、社会システムの各サブシステムに適応します。

システム哲学の打出した五大規則及び範疇体系は、我々が必ず研究し、マスターする根本的な思想及び基礎方法です。2013 年出版した『システム哲学の数学原理』は、物理学、数学の面からシステム哲学五大規則の科学性、合目的性、実用性を実証して、美学を研究する根本的な道を切り開き、総合芸術美学、設計美学に数理の土台を提供し、そして堅固な理論基礎を築いました。

思維方式の変遷は、いつも徹底的で革命的な意義を持ち、それは一つの民族の奮起と振興のシンボルです。正にホワイトヘッドが、語ったように「偉大な征服者はアレクサンダーからカイゼルまで、カイゼルからナポレオンまで、後世の生活にとても深い影響を与えました。ただし、タレスから現代一連の思想家に至って古い風俗習慣を改めて、思想原則を改革できるのです。後者の影響に比べて、前者が微力に見えます。これは思想家が個別に言うと無力で、ただし最後は世界の主宰です。」

第四章　システム美学哲学本体論の根本原則と法則

システム美学における哲学はシステム哲学です。

システム美学における哲学本体論はシステム哲学の本体論です。

システム哲学によれば、美は自然差異の多様性統一です。つまり、統一の法則性と数理性、宇宙の対称性と非保存法則性、最小作用の原理の目的性、最適化・美化の階層性と構造性、これらは自然美学の全体美を構成させたのです。

美とは何か？美は全体的な美、最適化された美をさす。美は個々のレベルから構成された有機体であり、全体的に最適化された自然です。

宇宙は巨大かつ複雑なゆえに、宇宙は最大な美、最高の美、一番完璧な美ともいえる。これはプラトンと荘子の観点に適している。宇宙は最高の美、終極的な美かつ独立存在された美であり、イデアとしての美ではない。というのは、イデアとしての美は外在の美であるから。

宇宙は自然的物質世界であり、自然美の世界でもあります。

一、自然と自然美は統一的、システム的

2008年版の『システム哲学』と2013年に出版された『システム哲学における数学原理』によれば、数学と物理学を利用した結果：システムは物質世界が存在する基本方式と根本的な属性で、即ち自然がシステムだと証明されました。したがって、オリジナルの美と自然美もシステムになりに、人間社会の美、芸術美、設計美もシステムになります。人間社会はシステムであるゆえ、人間の考えもシステムです。とにかく、宇宙の本体はシステム的物質世界で、システム美的な物質総体の世界です。これも理念主義（観念論）と物質主義の根本的な区別です。（いわゆる唯物主義と唯心主義の区別）。

物質のシステム美とシステムが第一原理であることを認めないと、物質は第一原理であることを認めないのに等しいです。それも、ヘーゲルの絶対唯心主義あるいは理念主義（観念論）を認め、継承したと言えるでしょう。

二、時間と美は物質存在の基本空間

2008年版の『システム哲学』と2013年に出版された『システム哲学の数学的原理』によれば、数学と物理学を利用した結果、時間は物質存在の基本空間であると証明されました。時間を否定することは存在を否定すると同じく、世界はくり返し進化する自然であり、美も形成された自然進化です。時間を逆戻ることが不可能と同じく、自然美も逆戻りすることができません。

宇宙は137億年前からビッグバン理論（時空特異点）が現われ、時間と美は宇宙物質の中に刻まれ、物質的な宇宙存在こそ最大かつ最高の美です。

三、システム美は至るところに存在

2008年版の『システム哲学』と2013年に出版された『システム哲学の数学的原理』によれば、数学と物理学を利用した結果：自然界にせよ、人間社会にせよ、人の考えおよび美感にせよ、すべてシステムだと証明されました。システムの概念と物質の概念は同等的な意味からいえば哲学の概念に属します。たとえば、われわれは世界が物質だと認め、物質はシステムだと知り、美もシステムです。したがって、物質とシステム、美とは同等的かつ密接な関係をもち、哲学意味上の有機体を成しています。美学

の本体論もここから発し、美学・哲学の本体論でもあります。

四、システム哲学の五大法則はシステム美の基礎

『システム哲学』によれば、この五大法則は一般的に、自然と社会、人間的思考および様ざまな人工システムに適用され、また美学システム、自然美システム、技術美システム、と芸術美システムにも適用されます。

以上のシステム哲学の基本原理によれば、システム美学の最も基本的な法則とは調和的多様性（統一）、調和的差異、システム全体の最適化です。これは進化過程における最適化された（自然美、芸術美、設計美）美の法

則だけでなく、全体的なシステム美学の基礎でもあります。システム美学が提出された基本法則は、ブルーノによれば、宇宙全体の美はその多様性(統一)にあります。また、ライプニッツも多様性統一という思想を提唱しました。

五、美学の基本法則

調和的多様性と差異は美の基礎であり、美学の根本となる原則と基本規律(法則)です。自然事物の差異の多様性、多方向性、多時空性は調和的な美の根源となる。調和的多様性と差異は形式美の基本法則だけでなく、美学の根本原則でもあります。

(一) 多様性の統一と調和

調和は起点のある調和的な美（特異点)、プロセスにおいての調和的な美（共同進化、相互的な促進、共同拡大)、相対的な結果をもつ終極性調和的な美(様ざまな対称)などを含み、お互いにバランスを保ちながら、くりかえし似たような循環をします。

自然界は調和的多様性と差異の美であり、参照できる法則があります。

さまざまな運動形式の間に、中間的、マクロ、ミクロの各領域において、四つの基本力および自然、社会、思考の間における調和的進化の美は、自然界多様性とプロセスにおける調和的統一を一番深刻的に包括しています。同時に、「内在的な調和」と「内在的な美」の外在な表象です。

楽隊では五音の調和、食事中では五味の調和、美術の中では七色の調和などで良い、差異の中における多様性の統一と調和的な美の関係を説明しています。

有機的多様性の差異全体は調和的な美の基礎であります。システム事物の多様性、多方向性は調和的な美の根源となります。

たとえば、次は差異統一体の多様性的生態系生物チェーンを例にして：

1．緑色植物は第一次生産者と消費者である；

2．草食動物は第二次消費者、たとえばバッタ；

3．肉食動物は第三次消費者、たとえばハタネズミ；

4.二次肉食動物は第四次消費者、たとえばタカ；

これらの関係はA：B：C：D=1：0.1：0.01：0.001、生産量ピラミッド(生態ピラミッド)と称する。これらの条件のもとで、すべての生態が合理的、秩序的かつ安定的、調和的統一された美です。これに類似したチェーンがほかにもあります。

たとえば、野ウサギとねこ、三つ葉のクローバーとツチバチ、ヘビが組み合わせた生態系の周期振動は、相対的に安定しました、終極的に調和的統一された美のシステムを求めています。これこそ生態文明の根拠です。

有機物と無機物の多様性と調和的統一された美は、自然界内在の調和な美です。生物界において、すべての生物の多様性と調和的な美は統一された遺伝の法則と物質システムの遺伝子の中に表現されます。

古代ギリシアの有名な科学者・ピタゴラスによれば、音楽の雑多は統一と調和の美を導いたのです。

多様性がなければ、芸術ないし芸術家がないでしょう。また技術美もないでしょう。

たとえば、15世紀にイタリアの画家であるダ・ヴィンチの作品『最後の晩餐』は、「マタイの福音書」に言及されています。イエス・キリストが12人の弟子と共に食事会を行った時、イエスは弟子の1人が裏切りをおこすことを予言しました。弟子たちは不意打ちされ、びっくりして、イエスに「その人は誰だ？」と聞きました。イエスは「私と同じように、手をお皿の上に置いた人」と答えた。絵画の中の弟子たちは、様ざまな表情を見せ、いきいきとして迫真的です。

このような劇の衝突の多様性と表情の多様性は完ぺきな要素を成したため、これをモチーフとした他の絵画をはるかに超え、傑作となります。これこそ調和的差異の表現と外在美、構造美、機能美の統一で、『最後の晩餐』が世界的に有名な絵画となったのです。

また、中世紀のゴシック建築は、仰高性の著しい建築といわれます。まず、この建築は窓や壁面が開放され採光を取り入れています。つぎに、数を通

してそれぞれの宗教の意味を表しています。たとえば、一と十はそれぞれ、神さまと十戒を代表します。それに、建物が非常に高いという特徴をもっています。教会こそ社会の中心であり、教会と君主の権力はそれぞれ、太陽と月にたとえ、我を忘れるほど神聖であるという濃厚な宗教雰囲気をあらわしました。ゴシック建築は宗教思想と宗教とかけ離れた平民思想との混合であり、多要素建築の融合でもあります。これは神の領域に達し、人々の心を震撼させます。これも調和的多様性の美のあらわれです。

さらに、北京の頤和園建築も、調和的差異の原則と多様性統一の法則のあらわれです。

梁思成によれば、「千篇一律と千変万化の統一」がこの意味です。これらの建築は人々の自由思想によって創造された理想空間です。彼はまた、中国の建築様式は唐、遼、北宋の豪快風格を呈し、この豪快風格こそ建築の調和的多様性と統一の美のあらわれです。

詩歌において、まず『沁園春・長沙』（毛沢東，1925）を見てみよう。

独立寒秋，湘江北去，橘子洲頭。

（秋寒くひとり立つ，湘江北に流れゆく，橘子洲のほとり。）

看万山紅遍，層林尽染；漫江碧透，百舸争流。

（見よ万山に紅あまねく，林層りてことごとく染まり；江なべて碧く澄み，舟あまた流れに競うを。）

鷹撃長空，魚翔浅底，万类霜天竞自由。

（鷹遠き空を撃ち，魚浅き底に翔けり , 万物は自由を競う霜天のもと。）

悵寥廓，問蒼茫大地，誰主沉浮？

（限りなく広きに思いしずむ，問わん蒼茫たる大地の，浮沈をつかさどるは誰ぞ。）

携来百侶曾游，憶往昔崢嶸歲月稠。

（友多く伴い来たり遊びし，昔思えば並みならぬ歳月かさねたり。）

恰同学少年，風華正茂；書生意气，揮斥方道。

（ときしも同学のわれら年若く，才華まさに満ちあふれ；書生の意気ま

たさかんにて，恐るるものなかりき。)

指点江山，激揚文字，糞土当年万戸侯。

(天下をあげつらい，激しき文字つらね，ときの王侯を糞土とさげしみたり。)

曾記否，到中流撃水，浪遏飛舟？

(おぼえたありや，中流におよぎた水を撃ち，波飛舟をとどめしを。)

当時、革命運動が盛んになり、毛沢東氏は「新民会」を組織し、「虚偽でない、怠惰せず、浪費をしない、博打をしない、不売春」などいった信条を提唱し、会のみんなの向上をはかりました。

この詩は毛沢東氏当時の豪放な気持ちと気魄を表現し、長沙の秋の景色を描写し、自然美、人格美と社会革命動揺の美を融合させ、濃厚な時代雰囲気と個人の度胸をあらわし、人々を奮起・向上させました。

同時に、いきいきとした自然美と芸術美を通して、革命の美を表現しました。「中流におよぎた水を撃ち，波飛舟をとどめしを」の一句は、筆先、筆の中、言葉の中に意を表しているという三意の統一を体現し、調和的な美、真善美の融合を高めました。

「問わん蒼茫たる大地の，浮沈をつかさどるは誰ぞ」の一句は、毛沢東氏とその仲間こそ新しい中国の建立に偉大な業績を残したことがすでに歴史を通して証明されました。この詩歌の美もここにありました。

さらに、『沁園春・雪』（毛沢東，1936）

北国風光，千里氷封，萬里雪飄。

望長城内外，惟餘莽莽；大河上下，頓失滔々。

山舞銀蛇，原馳蝋象，欲與天公試比高。

須晴日，看紅装素裏，分外妖嬈。

江山如此多嬌，引無数英雄競折腰。

惜秦皇漢武，略輸文采；唐宗宋祖，稍遜風騒。

一代天嬌，成吉思汗，只識彎弓射大雕。

倶往矣，数風流人物，還看今朝。

1945 年に重慶の国民党が発行した新聞にこの詩を掲載した以来、センセーションをまき起こし、全国に行き渡り、柳亜子氏にこの上もない詩歌であると絶唱されました。

この詩は濃厚な歴史感、革命的な感情、理想理念をもち、作者の度胸、気魄などを反映し、祖国山河への熱愛と未来への希望と奮闘に満ちています。

仮にいえば、1925 年の『沁園春・長沙』は単なる信念を固守するのに対して、1936 年の『沁園春・雪』は朝日が昇る前に淡い光が立ちのぼっていく様子を描き、勝利を予言しています。これこそこの詩の美しい所在です。

中国の歴史上においては、このような豪放かつ気迫に満ちた詩人と詩篇は魔ほかにもあります。例えば、李白の『蜀道難』、『将進酒』、『夢遊天姥吟留別』なども挙げられます。

李白の『蜀道難』は大自然のシンフォニーと人間の勇猛奮闘の気魄を賛美し、全篇が一唱三嘆し、人々に深い感銘を与えた。また、リズムと韻が巧みに変化を遂げ、本当に奇妙極りです。

そして、李白の『将進酒』は名利に淡泊であり、権威を蔑視し、自由独立の人格を追求しました。酒中之仙とよばれる李白のロマンチックな様子を徹底的に表現し、前代未聞です。

さらに、蘇東坡の『赤壁懐古』

大江東去，浪淘盡，千古風流人物。

故壘西邊，人道是，三國周郎赤壁。

亂石穿衣，驚濤拍岸，巻起千堆雪。

江山如画，一時多少豪傑。

遙想公瑾當年 , 小喬初嫁了，雄姿英發。

羽扇綸巾，談笑間，檣櫓灰飛煙滅。

故国神遊，多情應笑我，早生華髪。

人間如夢，一樽還酹江月。

蘇東坡のこの詞は古今絶唱と称され、意気揚々たる心、悠々たる志を表現し、歴史英雄を慕い、傑作と呼ばれました。

そのほか、辛棄疾の『西江月・遺光』

醉里且貪歓笑，要愁那得工夫。

近来始覚古人書，信着全无是処。

昨夜松辺醉倒，問松“ 我醉何如 ”。

只疑松動要来扶，以手推松曰：“ 去！ ”

辛棄疾はここで当時の世間を辛辣に風刺し、「三意」を融合・昇華をさせて、調和的差異と多様性統一を体現しました。

音楽において、音楽を構成する要素が様ざまです。たとえば、旋律、リズム、拍節、調式、調理、和声、復調、テクスチュア、曲式など、これらの要素はお互いに依存し、配合され、とても複雑な調和的全体となり、典型的に多様性と差異性をもつ調和的な美となす。この調和的な美の思想は、音楽の中で徹底的に表現し、人を震撼させる。芸術領域において、音楽は最も典型的な雑多同一、調和的差異の全体美の芸術です。

交響楽のように、数十種類の楽器を使用し、各楽器は低音から高音に並べ、それぞれ特徴をもっています。そして、演奏方法も斉奏、重奏、独奏など様ざまです。また、音の大きさ、力の強弱、リズムの速さ、曲調の変化もある。しかし、指揮のもとで、すべてが統一され、最も典型的かつ奇妙な調和的差異と多様性の美を表現したのです。

一方、閻肅が作ったテレビドラマ『西遊記』の主題歌「道は一体どこにある？道は足下にある」といった歌詞があります。この歌詞は言葉、曲と意を融合し、歌の大の美を形成させました。

現代のカントリー・ミュージックを含んで、みんな調和的差異と多様性を主旨に創造された芸術品の美のあらわれです。

レーニンの話によれば：「多様性は根本的かつ本質的な統一を破壊するではなく、その統一性を保証するのだ。」ここでいう物質の統一性は、「内在の調和的な美のシステム」です。

調和的多様性の美は第一美学原則と原理であり、美学の根本的な規律 (法則) でもあります。

（二）全体最適化された美

全体の最適化はシステム哲学の基礎法則として、自然界、人間社会と思考科学の中から発します。最適化は自己組織と結合し、自然宇宙の最も普遍的かつ品格のある法則です。

自然天体の中で、各星雲はそれぞれ分布、構造、状態と動く軌道をもち、全体の最適化方式を以て進化します。

太陽系を例にして、太陽は中心にあり、発光・発熱し、大きな質量をもつ;九大惑星は同一平面、同一方向に沿って、各自の速度を以て軌道に乗って動く；水星と金星をのぞいて、ほかの惑星は自分の衛星と小惑星をもち、まわりを回っています。この現象は万有引力の標準によって分析すれば、全体の最適化、最適化された全体美をあらわしています。

地理学システムの中において、地球の構造たとえば、地核、マントル、地殻、水圏、生物圏、知恵圏などが秩序かつ合理的に配列される；春夏秋冬の四季交替；七大陸と四大洋の地理分布なども最適化された全体美です。

ほかの自然科学システムの中において、物理学の理想気体、絶対黒体、理想実験、慣性系、臨界点、平衡体など、各自の目標関数が最適化された全体美を形成させています。

化学の中の元素周期表は、周期ごとに最強と最弱の金属性と非金属性をもち、その化学性質にも最強と最弱の区別があり、各元素の最適化された全体美を表現しています。

生物学の中において、ダーウィンの優勝劣敗、自然選択、適者生存などの法則は全体最適化された美の結果です。最適化の状態を失ったため、システム事物が淘汰されます。現存するすべての事物（システム）は必ずしも最も優れ、合理的なものとは限リマせん。システム差異協同があるだけの自己組織と外部環境選択の相互作用によって最適化状態、最適化過程、

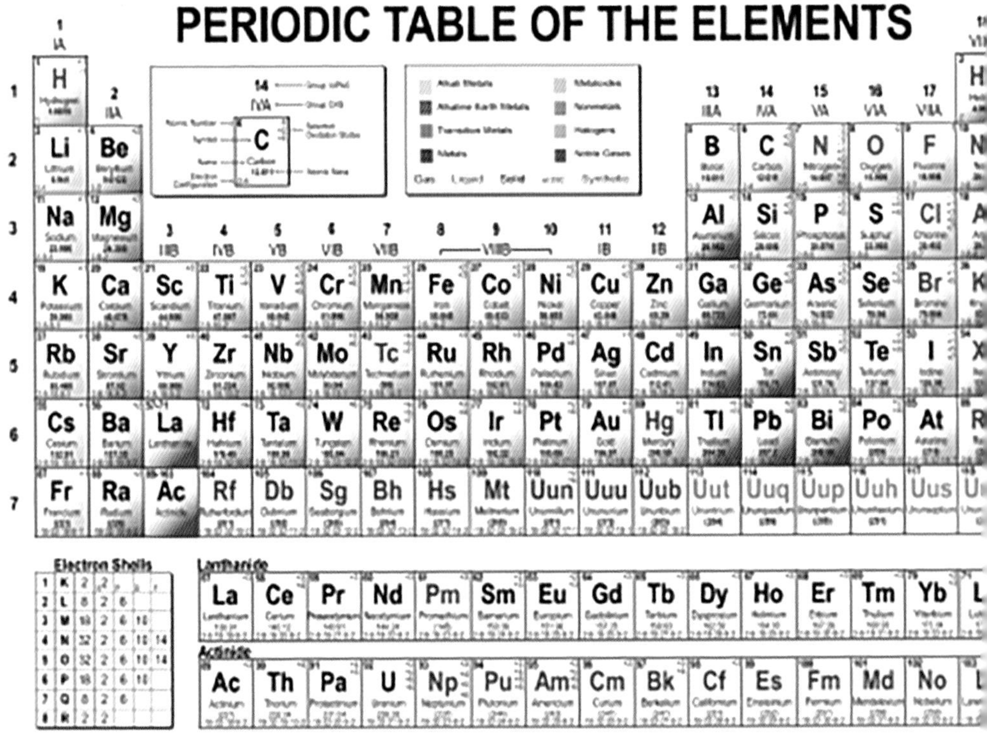

最適化機能、最適化美が生まれます。

恐竜の絶滅は全体最適化といえるでしょうか？われわれは恐竜を閉鎖システムと見なせば、その絶滅は劣化で、しかも全体の劣化です。もし、恐竜を大自然の要素と見なせば、恐竜が絶滅したからこそ、ほかの自然界の動植物が生存・発展し、自然界全体が最適化されます。したがって、恐竜の絶滅は自然界法則の内在根拠と外在条件の作用によってもたらされた結果です。もし、当時の条件のもと、恐竜は自然法則の約束を超えて生存したら、自然界全体が劣化の現れです。

一方、人間社会において、人類発展の歴史過程から見れば、原始社会、奴隷社会、封建社会、資本主義社会、ないしもっと高級な社会に至るまで、社会進歩が全体の最適化と美化を呈します。

人々の思惟システムの中において、単一思惟、双方向思惟からシステム哲学の思惟に発展させ、人間の認識能力はますます、客観世界の本来の様子に近づき、思惟全体の最適化と美化をあらわしています。

全体最適化された美の客観普遍性は、局部的な要素、またはシステム発展の過程においてある時期が劣化を生じ、全体が部分の和より小さく、または等しい現象を除外しません。これらの問題は最適化された全体美の客観普遍性に影響を及ばず、自然界、人間社会と思考の基礎法則として、この美は主導的な役割を果たしています。個人の病気と死亡は、人類全体の最適化に影響を与えません。反対に、これらの劣化現象を直視し、科学的に研究をつづけ、劣勢のメカニズムを求めて治せば、人類全体の最適化が最も完ぺきにあらわれるでしょう。

「和尚さん三人なら」の話は全体最適化といえるかと聞かれらたら、我々の回答は全体最適化ではなく、部分要素の劣化の暫定的な表現です。もし、「三人の和尚さん」を閉鎖システムと見なせば、三人の和尚さんが誰も水を汲みに行かないなら、彼らは水が飲めないため死んでしまいます。死んだら、この閉鎖システムも存在しません。自然界の生物生存の自然法則では三人の和尚さんに渇きで死ぬかそれとも水を求めて生きるかです。三人の和尚さんの回答は、後者で絶対前者ではないです。三人の和尚さんは生きるために、水を求め努力し、「一人の僧は水を汲んで飲み、二人の僧な

ら二人で水を担いで汲み、三人の僧なら水が飲めなくなる」といった方向に発展しません。三人の和尚さんは、最適な方法で水を汲む責任を分担すれば、三人に飲める水があって、これこそシステム全体の最適化と美的方向です。

「和尚さん三人なら」の物語は、最適化された全体美の客観実在性を反面的に説明し、最適化された美は事物発展の必然的傾向となります。

全体最適化された美は差異性と階層性を包括します。即ち全体最適化は実現過程において千差万別を呈し、この差異性と階層性の調和的な美をあらわしています。有機性と協同性、差異性と階層性は全体の最適化の前提である。

差異がなければ、最適化の美もなく、協同もなく、全体最適化の美もないでしょう。差異協同は全体最適化、美化の基礎法則で、その内容は相容的、相補的、相通的だが、それぞれ定まれた範囲を有します。客観世界において、全体の最適化・美化は強い実践性、主体性、能動性を持ち、さらに全体最適化の美は強い客観実在性を持っています。

たとえば、エンゲルスの話によれば:「典型的な環境の中の典型人物」は、

以下に解釈することができます。「典型的な環境」とは、全体最適化、美化の環境を意味します。「典型人物」とは全体美化の最適化の条件のもとで、最適化、美化を生じた代表人物を意味します。

演劇の中で、「環境の典型化」と「人物の典型化」は、人と環境の最適化、美化または劣化、悪化の極端な形態で、これらの条件のもとで生まれた芸術品は極美（喜劇）、あるいは極悪（悲劇）芸術品で、代表的を意味します。

陰剛の美と陽柔の美も同じく、ダ・ヴィンチの絵画『モナ・リザ』、ミケランジェロの彫刻『ダビデ』は、すべて古代ギリシアの典型的な環境のもとでの典型的な代表人物です。魯迅の『阿Q正伝』はその反例で、典型的な悲劇となります。

（三）対称性の調和的な美

対称性は自然事物内部の相互作用によって生まれた調和的な自然美である。また、可能的かつ段階性のある終極的な美でもある。対称性は自然事物が進化過程において生じた対応的な美であり、差異の相互作用が強ければ強いほど、対称性も高いとされる。

自然全体の中の対称性は、自然物質内部の諸要素の間における調和的な美である。一般的な意味からいえば、対称性は自然世界と過程に存在し、生まれた対応的なもので、すなわち形態上の対応、構造上の相似、機能上の同様である。マクロからミクロまで、生命から非生命まで、すべて対称美が存在する。

たとえば、すべての結晶体物質は対称要因と動作の計算を経て、外形から見れば不変単位対称群は 32 種類がある；内部構造から見れば、不変単位格子の対称群は 230 種類がある。これらの対称群は具体的な連絡形式と内部法則上において、すべての結晶体の相似性、不変性と共同法則性が掲示されている。調和的な比例と合理的な構造は自然内部の差異関係の調和的な美のあらわれである。

法則性のある自然事物は調和的な対称美を生じることが可能で、対称性そのものは自然差異の調和的な美である。

自然界に重複性、周期性の法則がある。たとえば、リズム、季節、昼夜四季の交替、生物のホログラフィック原理、生物活動のバイオリズムなど。

19 世紀のメンデレーエフが作成した元素周期表は、内在の調和的法則

と対称美によって、自然界の元素を組み合わせ、統一し、化学の中の重要な基礎理論となった。

元素周期表は元素の化学性質の違いを掲示し、原子の構造上における核電荷の大きさと最外殻電子の収容数、電子層の数および電子層の電子の数、電子層の間、電子層と核の間の距離によって決められできた差異の調和的な美である。

自然界の中の対称と調和的統一の自然美は、数学の中に反映している。たとえば、ニュートン力学における引力論と電子学における静電気論は二次偏微分方程式を使って説明することができる。

宇宙の調和的対称という理念は、コペルニクスとケプラーの宇宙理論学に思考資源を提供した。

アインシュタインは相対性理論 (狭義の) を発見した際、調和的対称美の思想を科学方法論とし、物質世界の統一性を「調和的内在性、内在的完璧性と神秘的な調和」と称した。したがって、自然物質の内在美は調和であり、その内在な調和こそ自然事物の外在美である。実を言うと、対称性そのものは差異協同と自然の外在美の結合である。

規則性は自然物質の運動、変化、発展過程における調和的な美であり、規則に適せば調和的になる。適さなければ不調和的になる；したがって、規則性は調和的な美のシンボルである。様ざまな保存法則は自然界における統一と調和的な美の表象であり、われわれの任務は自然事物の過程を促

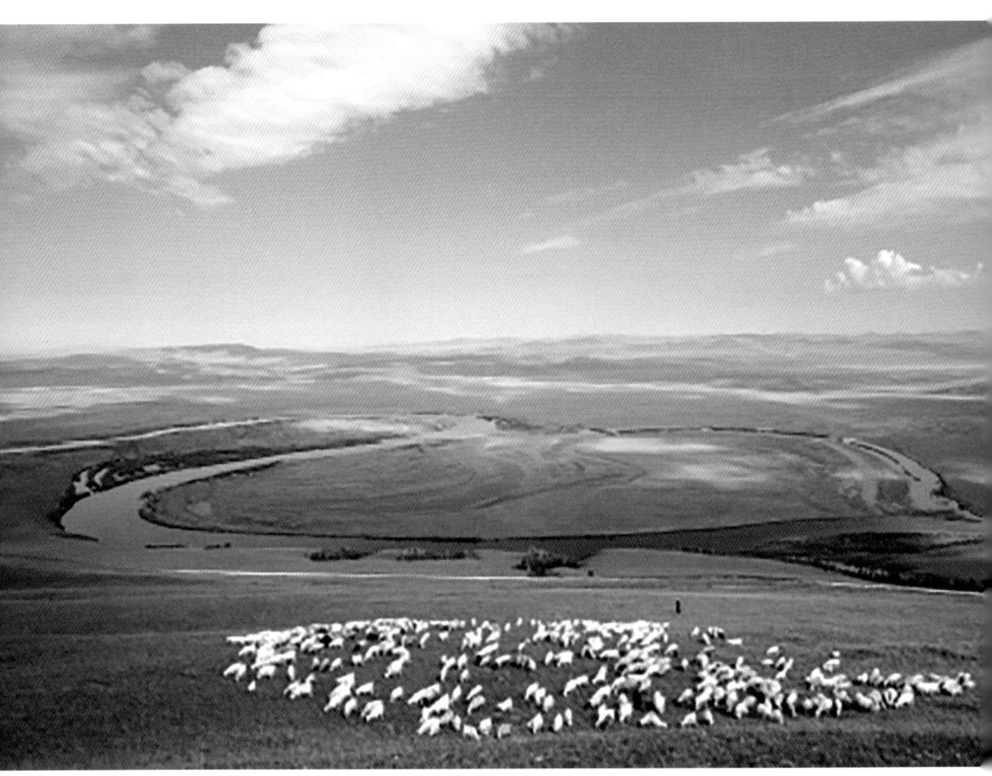

進し、調和的な美の発展方向を確定させる。自然事物は無数の差異があるため、無数の方向も存在する。たとえ、同じ方向であっても、それぞれ違った目的をもっている。体系に呈した調和は相対的であり、自然物質階層内の調和である；また、調和は条件をもち、範囲が定められ、自然物質自身が転化する過程である。

相似性も自然物質内部の差異の調和的な美であり、現象、形態、性質、構造と規則があらわした類似である。

以上述べた幾つかの原理は差異協同の調和的な美の立論に重要な科学理論根拠を提供したのである。その他、超弦理論における自己矛盾原理とひも理論は、 事物の差異が量子の起伏と変動を生じさせ、自己組織の協同によって生まれた秩序ある構造美、すなわち自己組織の美は第四規則と称される。たとえば、宇宙という自己組織の進化、地球、人類など、すべて自己組織の進化の美のあらわれである。

第五章　美学の数理基礎

システム美学は数学、物理学と深い関係をあり、三者は一体構造で、不可解な有機体です。

一、自然進化と最小作用の原理

自己組織の現れと全体最適化法則は、宇宙が特異点から自己組織の進化によってシステム（最適化、美化）の体制が現れ、マクロからミクロの宇宙空間を網羅し、宇宙の中において最も深刻的かつ総括力のある法則です。この法則は、宇宙がマクロからミクロまで協調の変化、協同の進化および調和美の発展趨勢、方向などをあらわし、このような全体最適化の内在張力に達しました。このマクロからミクロまでの内在張力こそ宇宙進化の原動力で、即ち物理学の「最小作用原理」というもので、アリストテレスが語った「第一の不動の動者」、「不動の始動者」の作用と功能に似ています。

例えば、天体大自然の進化、太陽・地球の形成、動植物の生命の起源、人間社会の進歩など、階層ごとに進化生成の全体が現れ、そしてその階層において最も最適化・美化されたものとなります。

最適化はシステムないし客観世界の全体発展の趨勢、方向と目的です。人間社会の各しすてむの構造機能の最適化は、人間社会が価値へ絶えずの追求、しかも理想社会美への追究と大同世界への追求です。

最適化はシステム物質が進化過程において、節時で、省エネ（最小作用原理）への道筋で、最終的に最適化に達し、つまり最美に達します。

動物、植物、生物、無生命のシステムは例外ありません。これは神さまが決められたのではなく、教主の意図でもなく、自然進化の目的性に合ったものの、自然物理におけるロジックの張力と趨勢です。

特異点から進化への道のりは、即ち省エネ、節時への道で、即ち美の誕

生の道でもあります。省エネ、節時といった機構は、システム進化の動力だけでなく、その目的でもあり、さらにシステム美の進化の本質であるゆえ、アリストテレスの目的因に適しています。

システムは最適化過程において、最後に最適化の極値に達し、最も安定かつ調和的な状態を呈します。これもこの段階の最美です。

ここまで、システム美の進化は頂点に達し、特異点にまで美が達しました。特異点から始まった美は、ライプニッツが「単子論」の中で「予定調和説」を提出し、即ち、自然ロジックと人類ロジックは特異点において調和がとれたといえるでしょう。

美とは何か？美は調和で、美は宇宙です。宇宙は最高の美で、最高の存在でもあります。これはシステム美学の全部の中身で、システウ美学の最高レベルの内容です。同時に、システム美学の存在論と本体論は、システム美学の出発点と到達点でもあります。

この美についての定義は、ギリシア人・アリストテレスの始発点に帰するため、ここで我々は古代ギリシア人思想の深遠と正確さに驚かされます。

この「予定調和説」は神さまによって定義されず、その他の宗教教主が

示したものでもありません。これは大自然の最も根本的な法則、最も根本的な神髄で、大自然が自ら定まったのです。

システム美学の根本的な神髄はシステムの現れ、システム最適化、極値、特異点、ブラックホール、タイムワープ、ストレンジ―アトラクタ、宇宙常数などと結びつけられています。

人間社会が生まれる前の自然美は、その後の現実美（芸術美、設計美）とその他の美が生じる源です。

カントが言う自由美は、ここで言う自然美に相当します。

黄金分割法は、自然美の「内在美」が数学上において比例均衡と対称の表象に過ぎません。

物理学の「最小作用原理」はシステム進化の核心で、尽きることのない動力源となり、永遠の第一推進力で、進化の過程因と目的因、終極因である。美は単なるその表象です。

人間社会の思想、意識、感情、美感、審美意識なども、大自然の「内在美」の外在表現に過ぎず、我々人間のすべての智恵、感情、メッセージは物質

のメディアがあり、物質の運動エネルギーの転換で、運動形式の変化とレベル化によって生まれた派生物です。

物質の進化はフラクタルがあり、相似性があり、これを（物質）を媒体とする思想なども、それに沿って類似したフラクタルと相似性が生まれます。それで、物質にフラクタルがあり、相似性があって、思想意識、感情などもフラクタル、相似性が生まれます。物質と思想の相似性、フラクタル性がここから誕生します。物質進化の階層化によって思想意識の階層化、相似性などが生まれ、これでなぜ自然進化に生じた物事が美と感じるわけです。ということは、あなた自身も自然進化、階層化された美です（即ち、美の階層化）。

我々はよく：自然大宇宙、人は小宇宙といいます。これが「予定調和説」の源となり、ブルーノの言う自然が事物の神さまです。

現代のシステム科学とシステム哲学によれば、物質媒体のない思想、感情、美感、審美意識、メッセージなどが、存在しないのです。人々の思想のフラクタルと相似は、物質のフラクタルと相似が、もととなります。

二、調和美とフラクタル

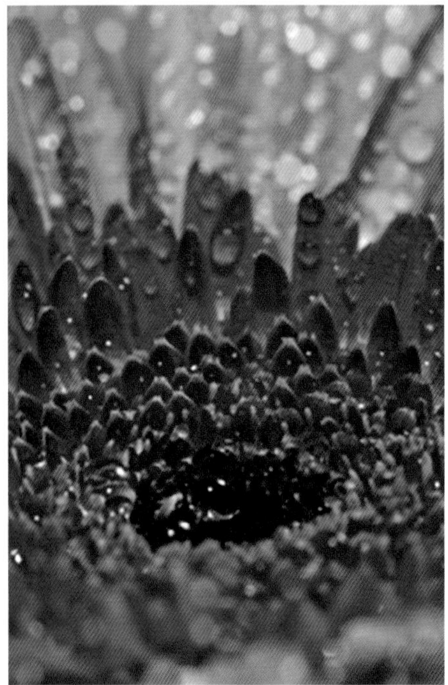

1967年、イギリスの若い数学者マンデルブロが発表した文章に、イギリスの海岸線の長さ問題について論述しました。彼の答えは人々を大変驚かしたもので、そして一つの学科のシンボルになります。

(一) 大自然進化の成長法則

マンデルブロによれば、海岸線の形成と成長は不確定で、正確的に言えば、無限の長さになるのです。測量の基準の変化によって変化するから、海岸線は長くなったり、短くなったりします。したがって、海岸線の長さは観察者が使用する測量基準単位によって決められます。例えば、衛星から長さを観測すれば、地球上からよりだいぶ短くなります。

類似した事物がまだ多くあります。例えば、大地に木の枝ほどの山脈があり、うねうねとした河川、漂う雲、旋回する星雲、植物相似性の生長、動物相似性の代々継承などがあります。これらはすべて、フラクタルの成長者、進化者で、おたがいに似ています。

さらに例えば、生物の中の遺伝子コードもそうです。生命システムにおいて、各階層の進化は自分の法則をもっています。各層の法則にフラクタル相似性があり、しかも協調的に進化をつづけ、例えば、ミクロとマクロの協調進化によって、調和的な大システムの美、宇宙の美を構成されます。生物の DNA と RNA は遺伝過程において類似するフラクタル構造をもち、生物進化過程の中、フラクタル・進化成長の法則と状態を導いたのです。

大自然のフラクタル成長モデルは事物成長の法則で、最も真実たる存在状態で、人類が驚きを感じています。

フラクタル理論の一つの特徴は自己相似性で、即ち、フラクタルの不変性、違う基準上において同じ変換法則を繰り返して形成します。大統一の宇宙、人間社会、各種事物すべてそうです。

フラクタル理論に以下の特徴がある：

第一、複雑で不規則な外見。

第二、特徴のない基準、即ち基準性がない。

第三、自己相似性

第四、無限に精密な構造、即ち無限に嵌め込む幾何学構造。例えば、ロシアのマトリョーシカ人形。

第五、実際の次元はトポロジ次元より大きい。

第六、簡単な方式で生成する。

これが万物進化生成の最も簡単な特徴です。

ビッグバン、混沌たる宇宙の始まりから、原子生成から人間社会まで、細胞の繁殖から動植物の相似生成まで、大自然がフラクタル理論を使って世界を創造し、フラクタルの方式を以て存在する。したがって、フラクタル現象はどこでも見られます。

例えば、生物発生の原理とは、有機体がその胚胎進化過程において、簡

略かつ濃縮した形で迅速に進化し、その種の進化の主要段階を代表したのです。

さらに例え、進化論の認識とは、人類の健全たる自然の個体の認識は、人類類認識発展過程の主要段階を繰り返し演じ、人類文明進化史の縮図です。

これらの大自然の進化は、宇宙のビッグバンと膨張最初生成の現れ、例えば、クオーク、レプトン、媒介子などの粒子は、ハドロン、レプトン時代を百億年経て、人間社会の百億年あまりの進化が形成されます。宇宙、大自然、人間社会はフラクタル的な形で存在するだけでなく、フラクタルモデルを以て形成し、進化をつづけている……

この過程によって、

第一、事物進化の階層、生成の現れは、すべてフラクタル、相似と階層美と繋がりがあり、階層的な美の進化と生成、階層美の最適化と極致、美と大美、調和美の生成過程です。

第二、大自然は人類の先生であり、すべて大自然によって生まれた自然美的な物事は、人間もそれが美と認識します。

第三、自然美はすべて美の源で、芸術美と設計美の源です。

第四、芸術美、設計美はいつも真似を追求し、自然美を再現し、大自然の美を模倣したり、自然美の姿を真似たりして、芸術美、設計美を創造します。

うねうねした海岸線に坂があり、がけもあるので、美しく感じられます；我々は草や、花、松などの大木、緑色植物、くだものなどを見ると、気持ちよく感じられます。しかし、我々はこれらの事物がすべて数学的な形で描写することができるとは考えられないでしょう。

（二）相似性フラクタルの数学的表現

代数学において、再帰関数を以てフラクタルの特徴を記述できます。

$$F(xn+1)=f(xn)$$

方程式計算の結果は、絶えず方程式自身に再帰して、次の計算結果に影響を与え、これでシステムの段々再帰のフラクタルの特徴と生成の可能性を表し、同時に、同様の計算規則のくり返しを反映します。つまり、階層再現美の生成進化と極致を表現　しました。

この方程式のレベルごとに再現した美は、大自然の進化に生まれた美で、

我々の日常生活の中で感じた美です。これも同時に美の本質は数理の基礎で、数理の構造だと説明しました

人間社会において、株価の上昇と下落、物価の変動、社会の発展などは、すべてフラクタル現象で、社会美と関連づけられます。

さらに例え、海洋生物のサンゴと海綿の自然成長、都市の拡大、脳の活動なども、すべてフラクタル現象で、すべてモデリング化して計算できます。

マンデルブロは、このように数多くの学科が集まれば、「空集合」になるに違いないと言っていました。「集まり」と「空集合」の集まりは、きっと大美の構成だと私は思います。

事物は相似性の生成、相似性の現われ、相似性の階層、相似性の美を進化し、これらの間における差異調和から必然的に美が生まれ、必然性に美を進化し、美の必然性を進化します。

あらゆる事物の成長、進化は相応の空間があり、この空間が成長進化の実体と切っても切れない一体です。したがって、空間と実体の成長進化は、相似なフラクタルを形成し、この実体と空体の全体は美の構造です。

いくつかの例をいいます。文学芸術において、典型の作りに、皆は、典型的な人物、典型的な環境、典型的なストーリーなどに達するために、各典型的な事件が読者にとって、馴染みのあるようで知らないイメージに作り上げていくのに努力します。一人の人物は同時におおぜいの人物のイメージを演じたります。完璧な芸術のイメージは読者に楽しく、いきいきわくわくと震撼させます。エンゲルスが言ったように：典型的な環境の中の典型的な人物です。魯迅の作品『阿Ｑ正伝』は、本当の阿Ｑ流民を再現しました。彼は、その時代の最下位の無職遊民の代表だから、社会に大きな反響を引き起こしたのです。

そのた、比喩と相似はあらゆる文学芸術の重要な表現方法です。例えば、「まるで」「彷彿」「同様」「即ち」などなど。

魯迅は『故郷』という文章に：希望は、もともとあるものとも、ないものとも言えません。それはまさに地上の路のようなものです。本来、地上に路はなく、歩く人が増えれば、そこが路になるのです。ここで、生き生きとして「希望」と「道」の相似性、イメージ、深刻性などを鮮やかに描

写しました。

希望のない道は道路があるあるいはないと言えませんが。夢の持てる人こそ希望にあふれ、成功の道を見いだすことができます。これは反駁のできない真理だが、魯迅がそれをイメージ化かつ芸術化させ、巨大な社会効果を生じさせました。この相似性から魯迅による言葉の美、思想の美、熟考の美を感じさせられます。

文学言葉の対句式も相似美の展開です。

牆上蘆葦，頭重脚輕根低淺；(壁上の葦、上が重く下が軽い、根が浅い)
山間竹筍，咀尖皮厚腹中空。(山間のたけのこ、先が細く皮厚い。中が空洞)
これを読んだ後、鮮やかに物を借りて人を比喩することがわかります。二者の間に相似性があったからです。

もちろん、我々は身近にこのような人が少なく、魯迅や、李白みたい人が多くいて欲しいです。

李白の詩『廬山の瀑布を望む』

日照香爐生紫煙，(日は香炉を照らして紫煙を生ず)

遙看瀑布掛前川。（遙かに看る瀑布の前川に挂かるを）
飛流直下三千尺，（飛流直下三千尺）
疑是銀河落九天。（疑うらくは是れ　銀河の九天より落つるかと）

この詩から、廬山の秀麗や香炉峰の滝の壮観などを感じさせ、燦々とした日の輝きのもと、薄霧が紫色に変わり、まるで九天に着いたよう。この詩は滝の美しさを表現しただけでなく、作者のすばらしい才能も表されています。詩人の想像的かつ誇張な、適切な比喩は読者を興奮させたり、楽しませたり、美の享受を喚起させました。詩の中の瀑布と銀河はとても似ていて、人々の考えを昇華させた。これは相似美の典型的な代表です。

また、蘇軾の瀑布についての名句：帝遣銀河一派垂，古来唯有謫仙詩。蘇軾は李白の『望廬山瀑布』が前代未聞の詩歌だと大いに褒めました。

また、『静夜思』（李白）

床前明月光，（牀前　月光を看る）
疑是地上霜。（疑うらくは是れ　地上の霜かと）
舉頭望明月，（頭を挙げて　山月を望み）
低頭思故郷。（頭を低れて　故郷を思う）

この詩は平淡に見えるが、絶唱の名句です。中で「地上の霜」を使い「月光」をたとえ、適切かつ斬新的です。白い月を描写しただけでなく、夜の静謐もあらわし、地上に一面の霜という美しい景色が描かれました。

この詩は全部20字しかないが、簡潔に時間、場所、環境をあらわします；言葉が流暢かつ自然で、意味深長です。そのあいまいかつ隠し味こそ読者の想像力を豊かにしたすばらしいところです。

ドイツの心理学者リップスの感情移入説は、事物進化相似性を表現しました。感情移入は人の主観感情に達し、少なくとも相互な過程で、反対の過程ではありません。自然美は主観者の感情に移入して、観察者は再び感情を深く移入し、自然美の物質上に転送します。

ロシアの教育学者ウシンスキーによれば、感情移入作用は実質上、相似の連想です。即ちフラクタル進化の連想です。

ホトトギスの鳴き声は人の泣き声に似ています；風雪の中で満開となる梅花は人の高貴たる性格に似ています。ホトトギスが号泣しています；寒い時になお霜に屈せず咲いている枝があるといった比喩があります。これらは人々の相似性の連想の成果で、即ち人のフラクタル思考が主導的な役割を果たしています。

レーニンはフォイエルバッハの著書『ライプニッツ哲学の叙述・展開および批判』の要旨をまとめ、自然界のすべてが似ています。文学芸術の中の模倣、迫真、再現、感情移入説、幻覚論などは、みな事物の中の相似性の現れで、心中の想像、きもち、意念が喚起されています。事物が進化過程における相似の特徴は、文学芸術美の基礎です。

したがって、フラクタル理論と芸術美は切っても切れない関係をもっています。フラクタル理論の中で、相似性はすべての芸術美の核心で、全体事物をあらわし、即ち自然美、芸術美、設計美の全体的調和性とフラクタル性の統一です。

物質のフラクタル相似性生成の特徴がなければ、文学芸術美がありません。相似的進化・成長モデルは数学の芸術美を体現しました。その統一と調和が自然美と芸術美、設計美の統一を表現し、数学、物理と美学の内在統一性をあらわしたのです。

三、調和美と最小作用の原理

我々は『調和的な社会とシステム標準形』という本の中で、「最小作用の原理に適するすべての物質システムと思想がみな調和的」だといいました。そして、『システム哲学の数学的原理』の中で数学、物理学を用いて証明し、ここで一節を引用してみます。

システム哲学によれば、「すべて ” 最小作用の原理 ” に適する物質システムが調和的」。即ち、調和的なシステムは美です。以下この説を説明ます。

「すべて最小作用の原理に適する物質システムが調和的」という説を証

明するには、以下の二点の要因が挙げられます：

１、最小作用の原理は熱力学法則の関係

２、システムが上がり下がりにより安定した状態を保つか、全体性を構成し、全体最適化の特徴を呈することができるか？次のような状況によります：

その一、システムが平衡状態に接近した場合、即ち非平衡状態の線形区域で安定傾向へなるか？

その二、システムが平衡状態から遠ざかった場合、即ち非平衡状態で非線形区域はどんな特徴をあらわすか？

その三、システム内部に上がり下りが起き、または外部の干渉を受けた場合、全体安定傾向へなるか？

そこで、最小作用の原理の発展の歴史について紹介します。作用量とは何か？

実際に、自然界はいつも時間とエネルギーの積の最小の方式、即ち、節時と省エネを取ります。時間とエネルギーの積を作用量と呼びます。

最小作用の原理（Principle of least action）は 1740 年にフランスの数学者モーペルテュイ（Pierre Louis Moreau De Maupertuis，1689 —

1759 年）によって考え出されました。彼は『諸物体の静止の法則』という論文を発表し、その中で物理学による「もっと高いレベルの科学」を出すことができないため、最小作用の原理を構想しました。

1744 年に彼は『これまで相容れないと思われていた様々な自然法則の合致』という論文を発表し､明確的に最小作用の原理を提唱しました。彼は、「作用量」は、質量、速度と経由の距離の乗算と定義しました。

一方、オイラー（Leonhard Euler）は最小作用の原理の数学的記述を提出し、厳格な変分法を使ってこの法則を証明しました。

ドイツの有名な数学者・ガウス（Gauss Karl，1777—1855 年）は 1828 年に最小作用の原理を発展させました。これを基礎にし、数学者であるラグランジュ（Joseph-Louis Lagrange, 1736 年 1 月 25 日 -1813 年 4 月 10 日）は分析力学を発展させ、ラグランジュ力学と呼ばれました。

最小作用の原理は物理学における王冠の宝石といえます。この作用量はA：に定義し。

$A = m\int uds$,

最小作用の原理の最も早い形式は（非等時性変動）：

$$\Delta A = \Delta \left[\sum_i m_i \int u_i ds_i \right] = 0$$

ここで、m_i は第 i 番目物、u_i は第 i 番物の速度、ds_i は第 i 番目物が、各自一定の時間内の運動して経過の距離。（$i = 1, 2, \cdots, n$）

即ち、システムが任意可能な空間構造において運動をする場合、同じエネルギーをもつすべての可能な運動の中で、実際の運動作用量Aはその極値をとります。上記内容は次のようにも書きます：

$$\Delta \int_{t_1}^{t_2} 2 E_k \, dt = 0$$

単一子系にとっては、もし時間パラメータを消去すれば、は等時性変動に変わることができます。

$$\Delta \int_{t_1}^{t_2} 2 E_k dt = \delta \int_{p_1}^{p_2} mvds = 0$$

p_1, p_2 はそれぞれ n 次元空間の二つの点を示し、上の式は二つの点を通った経路積分の変分です。

ヘルムホルツ（H. L. F. Helmholtz）は最小作用の原理を次の普遍式を提言しました：

$$\int_{t_1}^{t_2} \{ \delta (- \psi + E_k) + \delta \mathrm{A} \} \, dt - 0$$

$$\psi = E - TS$$

ここで、ψ は自由エネルギー、Eはシステムの位置エネルギー、E_k は運動エネルギー、T は絶対温度、S はシステムのエントロピー。δAはこれらのパラメータが変化する際に外界がシステムに対する仕事となります。

最小作用の原理は熱力学法則と一致することがヘルムホルツによって証

明されました。事実上、最小作用の原理は次の式に変えることができる。

$$\delta A = \delta\int_{t_1}^{t_2} (\delta L + \Sigma f_i \cdot \delta q_i) \, dt$$

ここでLはラグランジュ（Lagrange）関数、実際に、Lはシステムの内部エネルギーU（例えばS，Vを自変数と選ぶ）あるいは自由エネルギーψ（例えばT, Vを自変数と選ぶ）、f_I はI番目の単位体積の位置エネルギー、ψq_i は広義的な変位とります。

すると：

$$L = -E + TS + uE_k$$

プランク（Planck，M.）、アインシュタイン（Eeinstein，A）による相対性理論熱力学理論を創設し、もし相対性理論熱力学の最小作用の原理を選択すれば、以下の式となる：

$$\int_1^2 (\delta L + \mathrm{k} \cdot \delta r) \, dt = 0$$

ここで、

$L= -\gamma^{-1} m_0 c^2$, Kは広義力、δrは広義的な変位ベクトル、γ は温度変換係数、m_0 は物体静止時の質量、c は光速。

相対性理論熱力学の基本公式はこうなる：

$$dU = TdS - PdV$$

（中で $P = (\partial L/\partial L)_v = -(\partial\psi/\partial T)_V, P = (\partial L/\partial L)_S = -(\partial\psi/\partial V)_S, P =(\partial L/\partial L)_T$）。ここから、一般的な熱力学第二法則と第一法則を容易に導くことができます。

最後、ヘルムホルツは、「自然界から生じたすべての過程は世界における永遠に消失や増加のないエネルギーの変動により説明できます。エネルギーの変動法則はこの最小作用の原理中に完全に包括される」と結論づけました。ヘルムホルツは数学理論から最小作用の原理は世界自然法則の複雑な問題を論証しました。

以上の討論と論証からは下記を得られます：

（１）最小作用の原理から熱力学法則を導くことができ、熱力学法則の前提においてプリゴジン（ベルギーの物理学者）は、最小エントロピー生成の原理を証明し、即ち、最小作用の原理と最小エントロピー生成最小の原理とは一致していることです。

（2）最小エントロピー生成の原理は熱力学の線形区域、非平衡および平衡状態の安定性を保証し、つまり最小作用の原理にもこの特徴をもっています。

（3）非平衡状態の非線形区域において、システムが干渉されて平衡状態から外れ、臨界値を超えた場合に、非平衡参考状態は安定性を失い、この時のエントロピーの生成は最小値をとらなくてもいいです。エントロピーとエントロピー生成は熱力学の位関数の行動をもたないため、最小エントロピー生成の原理は有効ではありません。

この時、過程の発展方向は純粋な熱力学方法によって確定するのではなく、運動力学の詳しい行動を同時に研究し、システムの安定性を分析しなければいけません。

制御パラメータ λ の値は臨界値 λ_0 を超えたとき、即ちシステムが平衡状態から離れて臨界距離を超えた場合、非平衡参考状態は安定性を失う可能性があります。外界環境が物質とエネルギーとを交換する際に、任意の微々たる干渉はシステムの変動が秩序的な状態（いわゆる散逸構造）に発展すると同時に、新しい安定状態に入ります。

現在、最小作用の原理と運動力学の方程式の関係をみると、最小作用の原理のラグランジュ形式は以下となる：

$$\Delta\int_{t_1}^{t_2} 2\,E_k\,\mathrm{d}t$$

ラグランジュ関数 $L = E_k - V,$ が考えついたら、次のラグランジュ方程式および運動力学普遍方程式が導けます：

$$\frac{\mathrm{d}}{\mathrm{dt}}\left(\frac{\partial L}{\partial \dot{q}_k}\right) - \frac{\partial L}{\partial q_k} = 0$$

即ち、最小作用の原理は完全システムの運動方程式に等しいです。

$$\Sigma\left(\mathrm{Fi} - m_i a_i\right)\cdot \delta \mathrm{r}_i = 0$$

上記によれば、最小作用の原理は熱力学法則と運動力学普遍方程式を導くことができます。即ち、最小作用の原理は熱力学法則および運動力学運動方程式が一致です。

言いかえれば、すべて最小作用の原理を満たすシステムならば、熱力学と運動力学の方法のいずれ一種または一緒にを用いた方法で、全体の安定性を分析、研究することができます。

それで、動力学システムを用いたリアプノフ（Liapunov）の安定性理論および分析によれば、二次偏差エントロピーδ^2Sは、超エントロピー生成が生じ、リアプロフ（Liapunov）関数と得られます。δ^2Sの正負性はシステムの制御パラメータと力学パラメータ値によって決められ、これらのパラメータはシステムの平衡状態の偏差の程度を反映します。

つまり最小作用の原理に満たす物質（システム）は平衡状態か、近平衡か、あるいは平衡状態離れのシステムにせよ、どんな上がり下りを受けても、外部の干渉作用は、最終的にシステム全体の安定性の傾向に向かいます。全体の安定性があれば、システム哲学法則によれば、システム全体の最適化、調和の美の特徴を得ることも難しくないでしょう。

上記ロジックからは「" 最小作用の原理 " に適する物質がすべて調和的です」、すべて調和的なものが美であるという重要な法則を証明しました。

このように、最小作用の原理と調和的な美の統一性が証明されました。

システム哲学によれば、「科学技術の発展に伴って、人類の前に現れた世界は色とりどりの画面です。」「システム物質世界の進化過程において、新しいものが大量に出現する。」これらの出現が美の階層化の過程です。

一個一個の現われはすべて一つの革新と一つの発展です。この現われは最適化の極値に向かい、極値の内核が最小作用で、極値の表象が最美です。最適化美化は、最小作用の原理の現れ過程で、さらに人類の追求する真理で、善の価値を実現する過程です。

最小作用は自然進化の力であり、その魂こそ理性の美、真理の美、科学の美、である。最小作用の表象は美しい自然界における自然美である。

最小作用は、システムの進化の原動力で、その魂は、理性の美、真理の美、科学の美、その表象は、優美絶倫で自然界の自然美です。

この全体趨勢は最適化、美化の世界で、自然界の最終目的地となり、しかも我々人類の普遍的な願望と善の価値の追求です。

宇宙はいつも理性美が魂で、最小作用の原理が核心とし、真善美統一方向へと発展し、進化し、システムの最適化、美化の極値に達します。その表象は簡単で、深遠で、対称、調和、保全の美です。

それに、これら新しい現れの自由度、能動性が大きいし、巨大かつ複雑なシステムに膨大な量のランダム運動が出現し、これら非線形ランダム運動の中にシステムの進化法則を把握し、平均の理論を統計することでシステム進化の法則を掲示しなければならないです。これで初期状態の動力学の法則からすべての進化状態の伝統方法を演繹する方法を変えました。これは古典力学に対する発展と革命で、管理学の革命で、それに哲学の革命、美学の革命、設計学の革命です。

これらの思想も数学の論理式であらわすことができる：

$$\delta\int_{p_1}^{p_2} mvds=0 \Leftrightarrow \mathrm{H}\ ,$$

ここで、Hは調和（Harmonious）を代表します。数学記号⇔等価を表示します。δは変分記号です。等価記号(⇔)前の変分方程式はモーペルテュイによる最小作用の原理の代表的な方程式です。式の中で、積分は物質運動の起点と終点に限ります。

この変分方程式は科学的に、宇宙は調和的な世界であるゆえ、美しいのです。即ち、物質世界最高の美であると表明した。宇宙の調和と美は数学と物理学によって表現され、最小作用の原理こそ正確な表現方式である。

最小作用の原理は宇宙進化の根本で、宇宙生命力の所在で、宇宙美の数理的な基礎です。この方程式はすべてのシステムが進化を通して全体の最適化と美に達することができると意味します。人文システムも例外ではありません。例えば、生態系システムと社会政治、経済、文化システムは、環境との相互的な作用によって、最小の資源の消費とし、ベストの効果をもたらして、社会各システムの構造機能の最適化に達することができます。人間社会は調和的な社会に進化し、最高美の社会に達することができ、ここで最小作用の原理が基本的な役割を果たしています。

人間社会のシステムにおいて、数学論理を用いて社会美を表現するのは最も深く本質に触れる方式で、しかも最も有効な方式です。つまり、この方程式によって最高で、最美な物事を計算、設計できるから、人間社会は改革開放を通してこそこの理想的な境界に達することもできます。

中国の改革も社会美の原則に従い、全体美の改革方案を設計し、社会の調和的な美に達します。

今世フランスの哲学者デリダによれば、宇宙の推進力は無始無終で、どこにでもある力で、この力が差異の運動を作り出します。この「どこにでもある力」は省エネ、節時のできる力で、最小作用の原理です。

古代ギリシアのピタゴラスおよび学派の観点は、以上論述した変分方程式と相似性フラクタルの数学モデルによって証明されます。数は宇宙の根源で、宇宙が数の調和の中にあり。数が物質の魂です。宇宙は調和的であるゆえ、美は調和で、調和的な宇宙は最高な美です。これも数学、物理、システム美学の調和的共生を証明したと同時に、アインシュタイン、楊振寧の問題への回答でした。

ピタゴラス（Pythagoras）および学派によれば、美は事物の均衡、対称、比例、秩序と黄金分割法だと思われています。我々は変分方程式からみて、最小作用の原理は事物の均衡、対称、比例、秩序と黄金分割法を包括し、システム最適化の動力をも掲示しました。

例えば、人間は宇宙から数百億年の進化生成の結果です。人の数学的比例、秩序、対称、均衡から見れば、人は無数の黄金比から構成されています。

簡単に言えば、人のおへそ以上の上半身とおへそ以下の下半身は、おへそが最も基本的な黄金分割点です。黄金比に適した身体は、均等かつハンサム、美しくに見えるはずです。人々に愉悦な、奮い立たせ、羨ましくさせるのです。

物理学と力学から言えば、この体型の人種は、きっと最優かつ省エネ、高効率なのです。美学の視点からみれば、これは典型的な自然美！人の裸体がなぜ美しいか、美は最小作用の原理、美は黄金分割法、美は調和と最適化、美は人体の奇妙な構造にあるからです。高度な美の造形は芸術創作の永遠の源で､規律性（宇宙の法則）と目的性（宇宙の終極性）の融合にあっています。

梁啓超は「真即ち美、真こそ美だ」と提言しました。

美は時間と同じで、宇宙の特異点からすでに物質の中に刻まれました。

もし宇宙には代弁者がいるならば，彼はきっと：美は我であり、我こそが美であると言うでしょう。美はシステム、システムは美です。客観的科学的にいえば、美は自身で、物質の宇宙こそが美の根源です。数学は美の神髄で、これらはすべて古代ギリシア人の思想の科学性、最小作用の原理が物質宇宙の核心と動力だと証明しました。

優秀な物理学者アインシュタインによれば、科学事業にまじめに没頭する人は、自然、調和と美に対しての追求です。

現実生活の中では、このような現実美あるいは自然美と芸術美、設計美と数理の原理が高度に融合している物事は、至る所に存在します。

例えば、ミケランジェロの「ダビデ」は、解剖学を基礎として造られたので、「神的比例」と人体力学を表し、静止、リラックスした状態の張力を表現し、非常に自信たっぷり感となっています。揺るがないと正義な気質は、人への賛美と人への異常な力への謳歌です。一人は「自力救済」が必要だが、一世代ならもっと「自力救済」が必要です。「ダビデ」はルネサンス「自力救済」時代のシンボルです。ミケランジェロがルネサンス時

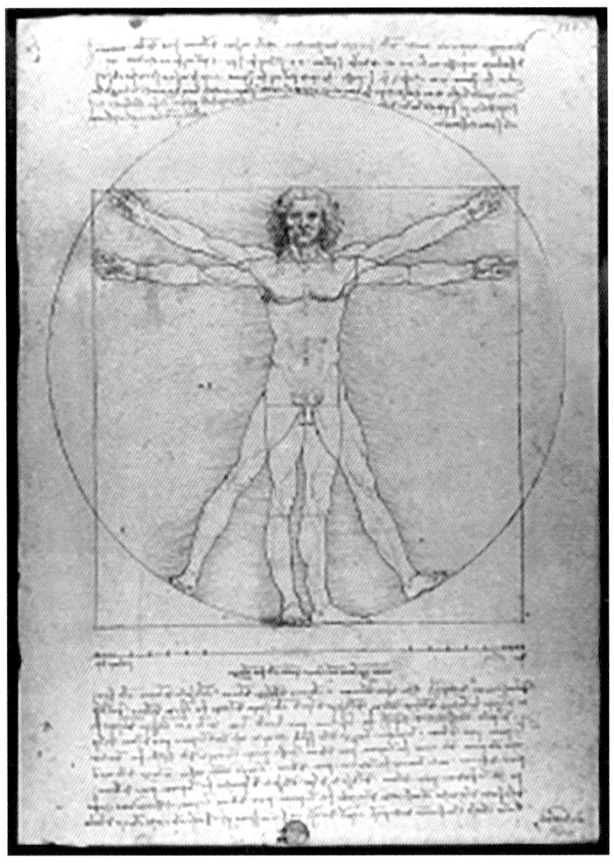

代の「自力救済」の英雄となりました。

『ミロのヴィーナス』は「人の純粋的な美」をあらわし、解剖学、力学と「神的比例」の凝縮と展開で、愛と美の最高な結合です。

身体の重心は右足に置くことによって、旋回運動と協調を形成し、および体の静けさで女神の魂を構成し、真、善、美の高度な融合になります。

イタリア人のダ・ヴィンチの『モナ・リザ』の構図は完全に黄金比によって仕上げ、これは人類芸術史上において不滅な傑作となります。ダ・ヴィンチが描かれた最も神秘的な肖像画です。

モナ・リザの鬱結な顔からほんのりの微笑みを出して、人々に無限の想像を与え、この微笑みは永遠の謎ともなります。どうりでダ・ヴィンチは

絵画を哲学、科学と数学の集合体だと見なしていました。

人の内部構造から見てみると：血管のツリー状のフラクタル、細胞と血管の距離は３から４個の細胞を超えない程度、これは我々の都市の交通設計と管理よりかなり良く、比べるものにはなれません。人の肺は最大な面積を持ち、最小の空間を占めることにより形成され、これが最も節約的かつ有効的な存在方式および機能効率です。

分子遺伝学の中の DNA 二重らせん構造は黄金比とも関係があります。二重らせん構造は側面または真正面からみても、すべて美しいです[1]。投影幾何学の方法を使って、二重らせんと横棒を五角星と関連させて、自然美を見せるだけでなく、数理的な美と自然美の結合から生まれた現実美をも展開すると同時に、「神的比例」と DNA の関係をも示しました。

これは、「神的比例」は各種要素の中ですでに存在するとなり、しかも生命遺伝物質と結びついて、即ち、「調和之美」は至る所に存在と表明し、美は物質の進化、変化の中にあり、美は命で、命は美です。

古代ギリシア人によると、世界は完美な生物で、生きている有機体です。心の優美と身体の優美は調和し且つ合致し、一つの全体になっています。これは以上述べた思想と完全に一致です。

古代ギリシアのパルテノン神殿の垂直線と水平線の関係は、「神的比例」に符合します。古代の建築家ル・コルビュジエ（Le Corbusier）

1　楊辛、甘霖等：『美学原理』，北京大学出版社 2010 年，P352.

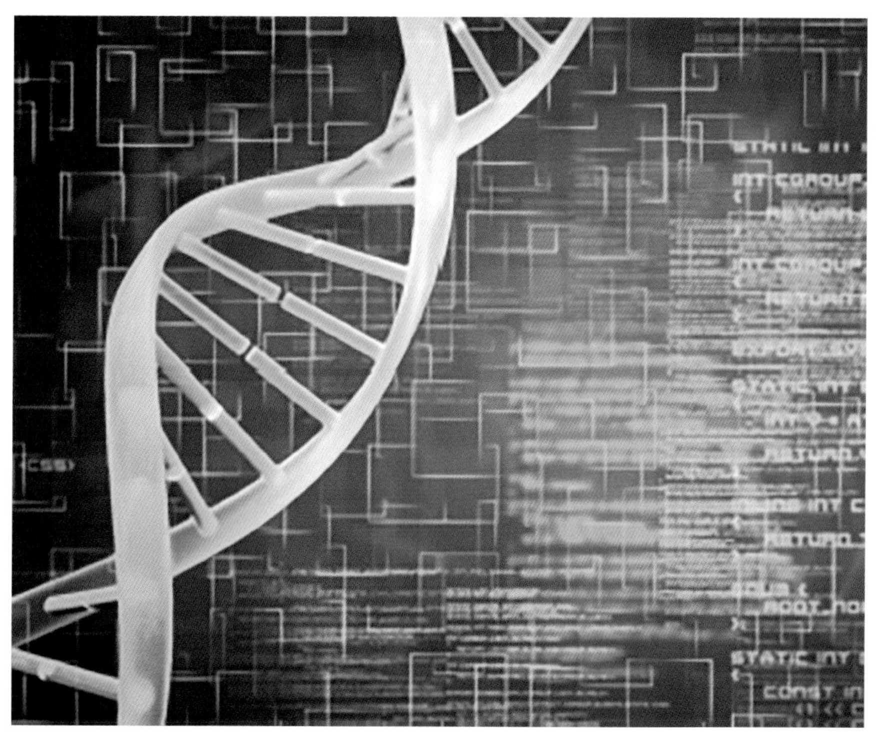

は「神的比例」により「モデュロール」理論を提案し、この理論は世界建築界に多大な影響を与えました。

一般的に「神的比例」と最小作用の原理を用いて、兵器を設計する場合、一つは消耗する材料が最も少なく、しかも速度が最も速いです。軍刀の刃の弧度から銃弾、砲弾、弾道ミサイルが飛行する頂点など、さらに補給線の距離長短および戦争の転換点の関係など[1]、すべて最小作用の原理と美学原理を反映しました。例え、ペンと鉛筆などを例に、どのような外形、長、幅、高さにしたら、一番美しいのか、実験した結果では、0.618 の方法を使ったその結果は最も美しいでした。戦場で、最も完ぺきかつ安全な戦術は最小のリスク、最少の死傷、最大な安全で、これは戦術の基本です。

さらに例え、風が砂漠の上を吹く時、波が起伏する砂丘や、波紋などができます。美学の角度からは、これは状態美、飛躍的な美、広大な美に見

1　喬良、王湘穂：『超限戦』，解放軍文芸出版社 1999 年，P167.

えます。それはどうしてですか？風と砂との相互作用により、大自然の風は最小抵抗力で進み、最小作用の原理の理屈で砂漠を通ったからです。

同様に、海の波の形成、海岸線のうねうねとした状態、山脈の柳葉状の形態、稲妻の発火、雪の結晶、星雲、雲の色、生物学上の反復現象、生物のバイオホログラフィー現象、植物成長の相似性、花や木の成長など、最小作用の原理が作用されたと同時に、自然美の極致を展開されています。

ガリレオは 1630 年に、一つの質点が重力の作用によって、与えられた定点から垂直下方以外のもう一つの点まで、もし摩擦力を計算しなければ、どの曲線に沿って滑り落ちるか？かかる最短時間は？という問題を提出しました。その後、科学者たちは変分原理を利用して、最速下降線がサイクロイドだとと証明しました。なぜサイクロイドか？サイクロイドは抵抗力が一番小さく、見た目で曲線は非常にきれいです。

これらはすべて最小作用の原理の下で、大自然の美を成し遂げました。植物成長の美、雨の時に稲妻の美、水滴の美、このような例はたくさんあります。大自然の各段階に極美の自然美が湧き出ます。

中国には有名な景色がたくさんあります。雄大な泰山、峻険な崋山、秀麗な峨眉山、内モンゴルの広々とした大草原、それに世界の最高峰チョモランマ、その険しさ、雄大さは天下一のすばらしさ。チョモランマは幾つかの大陸プレートが衝突し、各プレートの放出した巨大な張力はバランスをとりながら盛り上がってできました。各プレートの衝突力のバランスを保ちながら、最小作用の原理に適しています。即ち、最小抵抗力のある所からそびえ立ち、大自然の造山運動の奇跡と大自然のすばらしい理性の現れです。

四、最小作用原理とシステム美学のアンチエントロピー効果

最小作用の原理は自然科学、社会科学の中において最も基本かつ重要な原理として、宇宙変化や自然進化、社会発展の全体過程の中を通して、これも自然と社会の最も素朴な法則を掲示したと同時に、階層化美の過程もあらわしました。

科学研究の中で、理論の単純性、統一性と対称性を追求するのは永遠の主題です。科学者が理論の単純性、統一性と対称性への熱意は衰退するものではなく、試しに普遍的な原理を見付けて自然界の法則を解釈しようとしています。科学研究の過程において、最小作用の原理が最も単純性、統一性と対称性を最も備えて、全体の適正法則になると証明しました。

最小作用の原理は自然科学領域において：「自然界はいつも最も簡単な方法を通して役割を果たします。もし、一つの物体は何の抵抗もなくこの点から別の点までなら、――自然界は最短の距離と最速を利用して導くのです」と概括します；一方、社会科学領域において：「すべて”最小作用の原理”に適する物質とシステムがみな調和的です。」と我々は記述します。この原理の核心は一番短い経路を経て、自然界の進化状態を秩序的に、社会システムが調和かつ高効率になります。

そして、多様性の統一はシステム美の哲学の基礎で、この多様性の統一こそ人々に色とりどりの世界における理性化を感じさせ、最小作用の原理とシステム美が関係性あり、同根性あることを認識できます。

これらの本質は人々に世界全体の調和、単純、理性を理解し、手がかりのない各事件の中で法則を見つけ、即ちアンチエントロピー性があります。

エントロピーは物体とシステム熱状態の量で、自由エネルギーを表わし

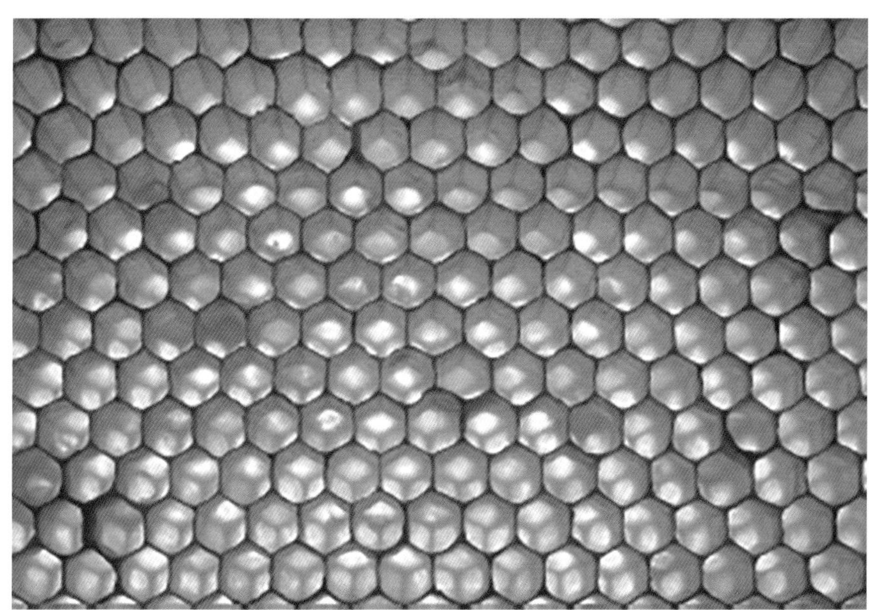

ます。このエネルギが低ければ低いほど、エントロピーの水準が高いです。エントロピーが最大の時は、いかなるエネルギーの転換も不可能と意味します。即ち、自由のエネルギーがないです。一切の閉鎖システムは最大なエントロピー値の状態へ変わり、これは何のエネルギー差のない平衡状態で、いわゆる静止平衡状態というものです。ここから、エントロピーは混乱状態の度量と定義することができます。このような混乱を誘致する趨勢の反対の傾向のは、すべてアンチエントロピー効果があります。だが、そうした開放的、動態的、非線形高組織化のシステムこそエントロピーの変化法則と相反するのです。

エントロピーは常に増量し、不可逆で、したがって、エントロピーは時間と同様に、同じ方向へ向かって変化し、美の階層化の反対方向へと発展します。

美学鑑賞では人々に自然領域と科学領域の調和的な景色の美を鑑賞し、感じさせるのに誘導します。最小作用の原理は人々に自然科学領域と社会科学領域における秩序ある自然の美、現実の美を発見し、解明することを啓発します。

システム美はアンチエントロピーの表象を体現し、最小作用の原理はアンチエントロピーの本質を掲示しています。

美は秩序で、この秩序の存在は無秩序のエントロピーとは対抗的な運動過程で、トレードオフな関係です。ゆえに、無秩序なところと物事は美とはいえません。例えば、動乱と戦争。

最小作用の原理は真善美を融合していて、真善美の統一です。真を求め、美に耽り、善に至ることは人類発展の崇高な目標で、システム美学が追求する終極の目標でもあります。

最小作用の原理は自然界、社会領域が従う最適化法則で、システム美学は自然界、社会領域の最適化法則の現れと反映です。最小作用の原理とシステム美学は一脈相伝です。

自然は自己組織進化過程の中で自我的に一種の力を生じ、一種の創造力と張力を生じ、それは、最小作用の原理に符合しています。これもエンゲルスの「自然界は理性的です」という言葉を証明しました。その理性は自然界自身にあり、自身以外のなにものでもないです。同時に、徹底的なアンチエントロピー性質をもっています。

最小エントロピー生成原理はある条件の下で最小作用の原理に等しいという説をすでに我々は『システム哲学の数学的原理』という著書に証明したからです。即ち、最小作用の原理と最小エントロピー生成原理は一致です。

第六章　美学の定義及び美感

1750年以来、ドイツの哲学者バウムガルテンは美学を感性学と定義して以来、美学の本質がずっと美学界で争論の根本となってます。この争論は数百年の間続いても、まだ定論がなく、ヘーゲルの伝統なる認識論の二次元的ジレンマ（いわゆる現象と本質、本質世界と現象世界）を顕示しています。実は、我々はシステム哲学の相違調和と全体最適化理論を用いて、芸術と美の本質問題を説明できます。ただし、一つの方法を変え、視点を変えるなら、美学の根本問題も自然に解決できるでしょう。これは現在はやりのインターネット時代に合います。

一、美学の本質と定義について

プラトンは西洋美学史において、最も早く美学問題を研究する者です。しかし、彼の「美のイデア」という考え方は、美の本質問題を解決していなく、ちょうど後世の人々に多く想像の余地を残してくれます。李沢厚が言うように、プラトンは「美のイデア」を探し出そうと、この「イデア」論を物事に注ぎこむと、事物は美となるはずです。

一方、プラトンによれば、「美の本質は美のイデア」、「美のイデア」は「美自身」で、「美のイデア」は美の創造者で、美自身は永遠で、絶対的です。彼は美の理念を絶対化し、美の客観性を否定したのです。彼は、さらに断言し：美は適当ではなく、美は有用ではなく、美は善ではない。彼はイデアと事物とは違うものだと考えています。

「イデア論」はプラトン美学思想の核心で、イデアは現実の事物を超越しています。これは典型的な観念論で、明らかに非科学的ですが、当時「イデア」というカテゴリーを提出したのは、極めて重要な進歩です。

真善美の統一はプラトン美学の基礎で、彼は著書『国家』の中で、真善美の統一を設計し、彼の「イデア論」と一連の論述は、全世界の美学理論にはかり知れない影響を与えました。もし、プラトンの「イデア論」がなければ、後世の様ざまな思想と諸説も生まれてこなかったのです。

同様に、プラトンの想起説（アナムネーシス）も後世の思想に影響を与え、現代の「荒誕派」、「ニーチェの理念」など、みなそれを根源としています。

古代ギリシアの哲学者であるアリストテレスの美学は「四原因説」を基礎にした美学では、彼は師匠のプラトンの理論を批判し、「イデア」や「形式」は「一般的」に個別の中に内在し、物事の「イデア」や「美自身」から離れると存在しないものと認識しています。また、彼は、美は物事自身の中にあり、「秩序」、「均等」と「明確」の中にあると思われています。美は事物の形式、比例の中にあると肯定しました。そして、彼はギリシアの素朴的な物質主義を固辞し、観念論（いわゆる唯心主義）を否定しています。それ以降の芸術実践に対して、大きな影響を与えました。

中世紀の哲学者、美学者であるアウグスティノとトマス・アクイナスなどの美学思想は、古代ギリシアの美学を超えてはいません。トマス・アクイナスは、完全、調和、鮮明こそ美であると考えています。

ルネサンス時代の美学はヒューマニズムを中心に、世間の美を肯定しました。

ダ・ヴィンチは美が実生活の中に存在し、感じられ、認識可能な事物だと考えています。彼の思想は近代のシステム科学とシステム哲学の観点と完全にあてはまります。人体は無数の 0.618 つまり「神的比例」から構成され、我々は『システム哲学の数学的原理』から十分な証明ができます。人間だけではなく、世界中のすべての事物が、自己組織の進化・発展する過程の中で、フラクタル原理という数理モデルを用いて説明でき、とても重要な発展です。

ダ・ヴィンチは、美感は完全に各部分間の神的比例に建立され、全体の各部分が全体と比例を成し、人体の比例は数学の原則にあうべきだと主張しました。自然界において、人体が最も完美なものです。

ここで私が一言付けくわえると、人体は数学の法則に合うだけでなく、物理学の中の力学原則にも合います。人体の構造は最小作用の原理に完全に一致し、即ち省エネ、高効率的かつ節時という要求に適しています。

ダ・ヴィンチの『モナ・リザ』は彼の芸術科学業績の最も印象的な描写で、とても面白い作品で、硬くて冷たい聖像の肖像と鮮明な対比となっています。

一方、ドイツ啓蒙時期の哲学者バウムガルテンは美学を認識論として提出したが、バウムガルテンは自然美自身は本体論で、美の自然存在的な問題で、その他の美は自然美から派生し、例え芸術美、設計美は、認識論の問題になるということを認識していないです。この誤解はヘーゲルなどの数多くの美学者たちを影響し、今に至ってこのような考え方をもっている人もまだいます。

カントは哲学と美学において「コペルニクスような革命者」です。彼は、自然の秩序的論証、道徳の秩序的論証及び二者の協調関係についての論証を提出しました。即ち、純粋理性批判（人間の思想及び認識は一律に如くなど)、実践理性批判（人的道徳、道徳法則など)、判断力批判（人の感情、認識論と倫理学の結合は一体)。言い換えると､論理学（真)､倫理学（道徳、善)、美学（感情）の三位一体です。また、工具理性構造、実践理性構造と感情理性構造の統一で、真、善、美の一体化、知的・意識的・情的の一体化です。カントによると、美は主観的で、美は感情の判断、理性的なものではないと考えています。

一方、ヘーゲルは、美学は理念の「感性的現れ」で、その根本は絶対的な精神だと考えています。彼は本当の美は芸術美だと思います。例えば､「ゴシック建築様式」を例にして、美は精神の表象、理念の感性的現れと説明しました。ゴシック建築の様ざまな様式、空間、形態、色彩及び音響効果などは､すべて宗教の生活､宗教の信仰､宗教の精神を反映しています。ヘーゲルは「美の命は、現れにある」と思われ、芸術美にとってこの定義は正面的で、自然美から見れば、非科学的かつ不合理です。

ヘーゲルによれば、美学研究の対象は芸術美に限り、自然美はただ認識者の意識存在にすぎず、美学は理念の感性的現れです。彼は美の本質的な論述について、理性と感性の統一、理念の内容と感性の形式の統一を表したが、残念ながら最も基本的な説得力に欠けており、芸術美の根源を説明していません。彼は､美の生命は現われにあるといい､これで理念の能動性、主導性、創造性を表しました。最も優れた芸術の本能は想像で、想像は創造性的です。芸術美は自然美より上位にあり、つまり芸術美は「心霊から生まれ、再生された美」です。彼のこの思想は当時においてある程度進歩的な作用があります。

ロシアの哲学者、作家のチェルヌイシェフスキーは、美とは一般的な芸術法則を研究するものと思われます。この考え方は自然美の存在を無視したが､彼の「美は生活」と「こう生活すべき」などの観点は､美が何かとはっきりと説明できていなく、事物はすべて美とは限らないからです。

イギリスの画家かつ芸術理論家のホガースは、蛇状曲線は一番美しい線で、視覚的美感を満足することができると思い、曲線美には条件があり、相対的で、如何なる場面でも美と言えないと提言しました。

古代ギリシアの芸術家のゼウクシスは、古代ギリシアの美女の最も美しい部分を集め、美女ヘレンを描きだすと要求しました。これは最も古く典型かつ普遍的な美を作る法則です。

アメリカテキサス大学の心理学教授のラングロワ教授は、コンピュータの画像合成技術を利用して、美の標準的な人顔を発見しました。この実験は、人々が認識した顔の美は、実を言うと平均状態のあるいは通常モデルで、顔の様ざまな特性の集合、即ち、これは各種顔の一種美の集合、一種普遍性の美の典型化です。このように平均状態の典型化は、0.618と「最小作用の原理」の普遍性とその構造の内在性を表しました。

ところで、中国の画家は迫真と写実を追求せず、画家の個性の気質を強調し、これは中国美学の重要な特徴です。

魏晋時代以降、老子、荘子の哲学が大きく隆盛で、中国芸術も「無形有韻」（形なき情あり）に迎え、「神似」､「意似」の境地に到達します。いわゆる「陽剛の美」「陰柔の美」の絵は「無形有韻」の神似であらわしています。例えば、北宋の宮廷画院が人材を選ぶ際に、唐の時代の詩を題名に持ちまして、例えば「野水無人渡，孤舟盡日横」（宋・寇準）という画題。また､南宋画派も「夫其自然」を主とし､「淡」の風格を追求し、即ち「初発芙蓉」(咲き始めの芙蓉)の画法です。北宋画派は「精」を求め、「錯彩鏤金」(鮮やかな色彩金箔等用いた技法)という画法を推奨されます。この二つの流派の思想基礎は一つは儒教の「和」を推奨し、もう一派は、道教の美学、「奇」、「怪」を追求するものです。

楚辞、漢賦、六朝駢文はすべて「錯彩鏤金」の美で、王羲之の書、李白、蘇東坡の詩は「初発芙蓉」で、自然で可愛く、平淡でお洒落な感じです。魏晋時代以来、中国の哲学、美学はなぜ大きな転換期を迎えたのでしょう?

樊樹志の『国史概要』の観点によれば、主な原因は、漢代経学にあり、一は、迷信的な讖諱思想により失い、二は、煩雑な注釈により失い、三は、家訓の墨守の伝承により失い、ただ師の伝えを信じたためです。三者の共通性は、拘泥、硬く、教条です。経学化の儒教は、ある種社会規範として動乱の時代に使われる範囲が限られています。当時の人々は道教の荘子の思想を利用して、自然界に返し、現実の紛争から逃避するつもりです。そこで、儒教道教の合一、ある種特殊な魏晋時代の「玄学」が形成され、道家の「無」を用いて即ち自然主義です。哲学、文学と美学に反映され、例えば、建安文学の風格、文章が簡約に、立意が厳明、思うままに、自然な流れる文調です。絵画では「形」と「神」の関係などに現われています。

大伝統の中で、李白の詩「清水出芙蓉,天然去彫飾」を主とする。小伝統(民間芸術)の中では「錯彩鏤金」を推奨します。例え宮廷建築、服飾などがあります。社会集団の違いによって、需要の違いが生まれました。

ゲシュタルト(Gestalt)美学の創立者、心理学者のルドルフ・アルンハイムの著書『美術と視覚』によれば、事物の運動または形態構造そのものは、人の心理、生理構造とある種の同型相応の効果があり、つまり主客体の同型を用いて美の由来と性質を解釈します。

実際、これはフラクタル原理の中で、事物の相似性の成長・進化の現象で、すべての事物は成長プロセスにおいて相似で進化が生まれ、したがって、同じ層と下の層とは相似の特徴をもちます。層が近ければ近いほど相似性も強い、物質がこうで、思想も同じです。

人類も美の法則により形が作られ、この法則は物事成長の数理モデルです。

主客観の統一の境界に言えば、現代著名な美学者の朱光潜の主観的な意識と客観的な自然の相互作用、および李沢厚教授の主観実践と客観現実の相互作用から美に対する定義では、中国美学史と外国美学史が美と美感についての論争が皆明白に説明できていません。美とは一体何？アリストテレスの言われたように、美が難しい、難しいのは、美は何？何が美？うまく説明できないからです。

だから人々が、美は相対的だと、人によって違うので、客観的な標準がないのです。美の現象、形態も様ざまで、すべての事物にあり、変化無限はすべて美です。陽剛の美は、美です。こんなに様々な美があるなら、美を研究する必要もないだろうと古くからこの観点を持っている人が少なくはないです。

学者たちの見解によれば、美学はドイツの美学哲学から、イギリスの心理学から、フランスの文芸批評理論の組み合わせから成り立ったものと思われています。無論、これらは単なる表面的に問題を見て、その本質の問題を見てないからです。

我が国現代の美学者・教育家の朱光潜氏は、美は主客観の弁証法的統一で、美は主観でもなく、客観でもなく、主客観の統一で、自然と社会の統一です。彼は梅花を例にして説明しました。梅花の形と美しさは、すべてベネデット・クローチェ（Benedetto Croce）が言う「直観」から生まれ、ある種単純な美学観点です。彼はマルクス・レーニン主義を勉強した後、自然物の梅花は単なる美の条件だけです。梅花の美は梅花自身になく、単なるある種の感覚（直感）が人々の主観意識の中で、芸術的に加工して梅花の姿になり、これこそ主客観の統一で、審美観としての美です。

ここで、朱光潜氏は梅花の物質形態としての美を否定し、つまり梅花の物質性を否定し、観念論（即ち唯心主義の泥沼）の泥沼にはまってしまったのです。梅花の自然美は、物質形態、構造上の美です。人間の「直観」がなくても、梅花の自然美は、依然として存在し、人々がただ機能上でその美を発見しただけです。科学者は自然法則を発見と同様に、自然法則は客観的な存在です。

朱光潜氏はまた次のように言っています。梅花の美は、単なる人間の意識の中で加工され、得られたもので、これは、ヘーゲルの理念主義（即ち一般にいう唯心主義）とどんな区別がありますか？梅花の美の物質性は人の意識の産物との考えは、当然事実に相反します。我々は前章においてすでに証明済みです:美はシステム、物質とは同一レベル層の概念です。美は、物質の中に、システムの中に刻まれた省エネ、節時の表象で、最小作用原理のシンボルです。

朱氏は以前、梅花の美はベネデット・クローチェの「直観」から生まれたと信じていたが、その後「直観」の認識から「自然界の梅花は単なる美の条件」というレベルに昇華されました。ただ、朱氏は美の物質性の一貫的を認めていなく、この観点は、ちょっと理解できないです。この観点を持っている人々は、自然美自身は人の意識の反映または「現われ」と思われている人々と比較して、後者の考えをもつ人が圧倒的に多いです。これがプラトン、カント、ヘーゲル、ニーチェ、クローチェといった人たちの理念主義のコピです。

美は主客観の統一という説は、朱氏晩年の美学の核心です。即ち「人化的自然」(人化した自然)と「人の対象化」の相互推進です。この観点は中国と外国の美学理論の中で大半を占めているが、残念ながらそれは理念主義(即ち唯心主義)の産物で、科学主義の産物ではないです。

過去朱氏が伝達していた「直観説」、「距離説」、「移情説」ないし現在の「主客観統一説」は、いずれも美の核心問題に及ばなかったです。

例え『ノートルダム・ド・パリ』という小説の中で、醜い鐘つき男は歌も踊りも上手なジプシー女に出会い、女は鐘つき男への「直観」ではこの女性が美しいという印象です。鐘つき男の「直観」が理念の加工はいらなく、自然で、誠実かつ神聖な外在美です。それはまず物質性で、その次は、理念で、根本的に言えば、これは物質的で、まずは黄金比の力学原理に適していて、美が生まれ、自然美が生まれるのです。鐘つき男の「直観」は女性の単なる自然美を見いだしただけです。

『ノートルダムの鐘』という映画の中で、女性の自然美、物質美は理念の加工が必要なく、彼女は最小作用の原理の現われです。映画の中で、自然醜い鐘つき男は芸術において心が美しく、道徳美、人格美を演じています。この二つの役割は観衆に崇高と偉大な効果を与え、女性はもともと美しいからです。

自然の美と醜悪、芸術の美と醜悪は同レベルではなく、内容も同じではなく、同じく扱いはできないです。人間の「本位主義」からは、「人間は万物の魂」、「人間は世界一切の物事の基準」のような偏った考え方になりがちです。

李沢厚氏によれば、中国古典美学の範疇、規律、原則などが機能的で、矛盾の構造として、対立面の浸透と協調を強調するが、対立面の排斥と衝突を強調するものではありません。

李氏の観点に関して、半分が正しいと思います。いわゆる矛盾の対立と調和、矛盾の排斥と衝突ではないです。ただ、中国の美学では単なる「矛盾構造」だけでなく、さらにもう一項目があります。例えば、鄭板橋の「目の中の竹」は、「胸の中の竹」を経て、「手の中の竹」まで、三つの階層で、三階層の要素の構造です。この三層要素の構造は現代芸術の法則に合い、多元化に合い、多様性の要求に合い、システム思想の方法論にも合います。

李沢厚氏によれば、美は規律性と目的性の統一で、彼の主体性実践哲学で提唱することは、自由（人間の本質）と自由の形式（美の本質）は天から授かったものではないし、自然に存在するものでもなく、自ら築き上げた客観的力と行動です。しかし、彼の忘れたことは、人間も自然進化の産物で、人体美も同様自然進化の産物です。

また、人間社会全体の歴史的実践の本質的力量こそ美を創造したと李沢厚氏は述べている。彼によれば、美の本質に関しては、自然は美学の難題です。この二つの言葉は明らかに前後不一致です。人間社会の本質は芸術美、設計美だけを創造できるが、絶対に自然美を作り上げることはできません。自然美は宇宙進化の必然な結果です。例えば、人、地球と天体。人類の形式美がなければ、自然美は存在しないし、自然美は人類歴史の産物だと李沢厚氏は思われています。これもまさに生活の中の形式美と自然美の関係を逆にしました。

実は、人間社会は大自然の産物で、宇宙進化の結果です。この二つの間に同然類似性があり、道理で自然進化により現れた最適化（美化）です。人々は、それが美です。これは、我々が前述したフラクタル法則の特徴です。

ほかに、感情移入説、距離説、遊戯説と李教授から提言し、いずれも要検討の言い方です。

美とは何か？（即ち最適化とは何か？）美は宇宙進化の結果で、物事の進化が最適化レベルに達した後の段階は、美がこのレベルの頂点です。人間社会も宇宙進化の結果で、人類社会が徐々に最適化した物事（即ち美化された物事）を理解、認識します。美と最適化物事（美化の物事）を認識したことは、これは、物事存在の本体論です。人間社会が自然美の存在を認識した後に、芸術美と設計美を創造しはじめ、これは、最適化物事の認識論と過程論で、人類自身のある種の進歩です。

コペルニクスの前、人類は太陽が地球を回り、人類は宇宙の中心で、人類はまた神さま、教皇を回っていて、美とは人間の主観的意識の結果で、神さまこそは最高かつ最大な美だと思われていたのです。それは必然的歴史現象です。現在ではシステム科学、システム哲学が現れてから、このような理念があれば、理解と想像もできないです。

最適化の形式、最適化の物事（美の形式、美の事物）、自然美の進化および物質物事の進化は、相互に関連つけられています。

本書のまえがきに、自然に始まるところは、美の始まるところでもあると述べています。

今まで、美学が主に美感、芸術美、設計美を研究し、自然美（純粋な美）に対して興味はないと思われている傾向があります。だが、この観点は非常におかしいと思い、もし自然美がなければ、芸術美、設計美もないでしょう？

美学は一般的な美を研究するはずで、それは自然美、芸術美、設計美および美という科学を含み。無論、美学はまだ成長、発展の段階で、絶えず保善しています。しかし、もし美がなければ、世界がまだあるのか？もし美がなければ、繁栄なる社会が存在するのか？もし美がなければ、人は思考力、創造力、創造力はあるのか？美はすべての基礎で、物質と思惟と同様に、これらがなければ世界も存在しますか？

特別な年代の中、美は「修正主義」だと同類視され、美を言っただけで顔色が変え、それに諷刺、ユーモア、漫才、マンガ、喜劇などが全部取締られていたです。その当時、美と醜悪を区別せず、酷いのは、美と醜悪を逆になる現象も起きていました。これは歴史上の悲劇で、マルクスの観点から言わば、悲劇の後は喜劇です。

マルクスの「人間本質の力の対象化」または「自然の人化」の観点につ

いて、「人間本質の力」は人間の変化進化の力、即ち、省エネ、節時、自然進化の張力で、それは、最小作用で、これこそ人間存在の本質の力というように理解すべきでしょう。

それでは、美とは何か？美は存在するのか？美はある種の力なのか？また美は本体なのか？美は自然進化して生まれた現れか？美は最適化されたシステムなのか？これらの答えはすべて肯定的です。

美は進化の存在、客観的で自然な存在、ある種湧き出た存在です。美には段階性、構造性、動態性があります。美の中心は「最小作用の原理」です。

美の本質は、二千年余り述べてきたが、定められた定義も数百種類もありながら、みんなを満足させる定義は一つもなかったです。その原因は以下となる：

まず、古代ギリシアの哲学者ソクラテスが言うには：美は難しいです。難しいところは、対象が複雑で、内容が入り込んでいて、宇宙の星空から人間社会まで、各領域、各業界に分布し、物事ごとに美と不美の問題が存在します。

その次、我々の研究手段がわりと単一、主にヘーゲルの弁証法二元論の範疇で、現象と本質、形式と内包の方法ですが、美は多様性の統一です。つまり、思惟方式の硬い、創新の方法への探究は、ありません。

最後に、自然美と芸術美及び設計美の違いを区別していなく、それらの出処が同じでなく、内包が同じではなく、表現方法も同じではありません。

二、美の階層性

簡単に言えば、美の階層性は自然美、芸術美、設計美に分けられ、自然美は美の源です。

前にも述べたように、美は最小作用の原理の外在現れと外在表象です。美の中心は自然進化の内在張力、システム内部のある種動力、最も原始的な推進力、駆動力です。エンゲルスによれば、「自然に理性あり」。この理性とは最小作用力、即ち自然生存の本質力です。こんなに美しいとは理性の力の外在現れ、この力の本質は省エネ節時です。

自然界、人間社会、人間思考の行方は省エネ、節時のプロセスの進化、変化です。これこそ自然界において生存発展の最も基本的な要求です。これゆえ最小作用を自然界の寵児にしてしまいます。この重要な発展進化により現れの特徴が生まれ、即ち美と自然の進化融合、美と自然法則の融合、美と自然調和の共存、これは、自然進化美の最重要特徴と最根本な条件です。これについては、我々がすでに数理を用いて証明を済んでいます。

これは、システム美学の最も重要な内容で、自然美の現れと芸術美、設計美との違いで、三種の美の本質な違いです。

芸術美は、ヘーゲルが言ったように、それは、「理念の感情的表現」ですが、この理念はヘーゲルの「絶対理念」と「絶対精神」でもなく、それは芸術理念、芸術思想で、芸術法則の考えに適合したものです。

芸術美とは人類芸術思想実践の自由創作です。これは芸術美の「実体論」で、芸術思想の自由表現がなければ、芸術も存在しないし、芸術設計もありません。ただし、芸術思想は必ず我々が提出した最も基本的な法則に適合しないといけないです。つまり多様性の統一、多様性の調和、自然法則

の現しと最適化美化の傾向性、目的性です。特に、建築デザイン、建築芸術の中において力学の最小作用の原理の支えがならなければ、簡単な平屋でさえ建てられないでしょう。「絶対理念」を用いて、建築設計を指導するなら、それは、不思議で可笑しいでしょう。芸術美の世界において、想像する空間が最大で、筆数が少ないものというと、恐らく抽象派の芸術、中国の白黒線描、マンガ、アニメ、さらに超現代派の「型破りな反伝統的」の絵画及び芸術になるでしょう。これらの芸術品は現代、または後世の人にいかに評価されるかは別問題です。

実際に、これら芸術の生命力はそれぞれで、構想表現も千差万別で、これらの社会影響、社会評価も統一しにくいが、芸術美の本質は変らなく、それは科学法則の芸術理念の自由創造で、自然美理念化的思惟の再創造です。

三、美感

（審美経験、審美意識、審美観賞、審美判断）

人々は美を楽しみ、それは美が自由創造の頂点だからです。

人々は美に好み、それは美が自由創造の結晶と瓊葩（けいは）で、喜びをもたらすものです。

人々は美を愛し、それは美が心地よく、気持のリラックス、潜在的心の感じです。

美感とはまず、精神的な喜びで、美感の功利性が喜びと愉快の中に含んでいます。

美感の本質は創造力の自由表現で、自由心霊の激動、多様性の調和、最小作用の原理の実践（例えば絵画、詩歌、マンガなど）で、最も少ない要素を用いて、最大の想像力、創造力の空間を描き出します。

美感は審美的主体と審美の対象が実践の中での自由な再創造です。審美主体の審美意識、審美の好み、審美の趣味、審美の現象、審美の基準と審美の対象間での平等な交流と対話から、審美主体と審美対象間の相互作用

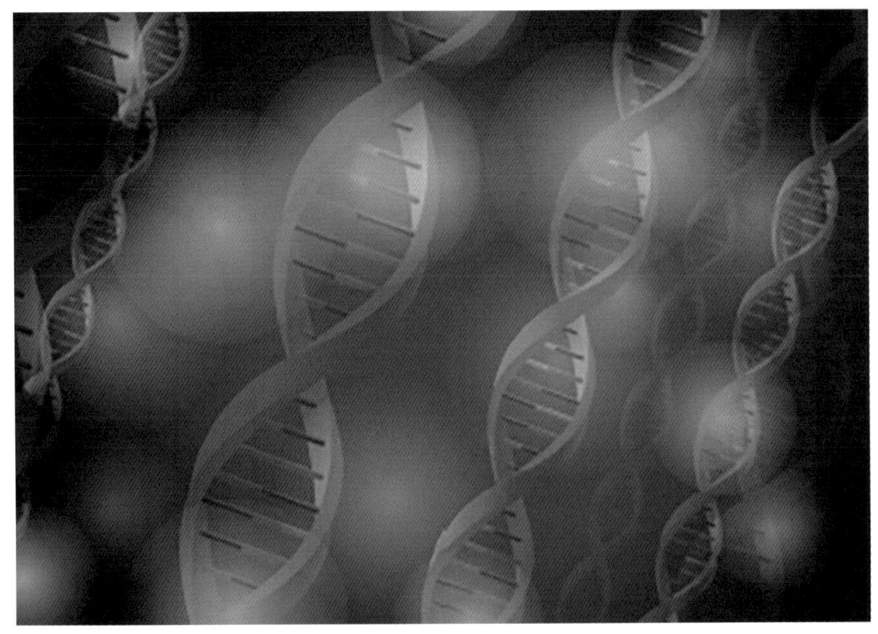

の自由な再創造です。

フランスの科学哲学者のポアンカレ（Jules-Henri Poincaré）によれば、発明とは選択で、選択は科学上の美感によって支配されることが避けられないです。したがって、美感は発明創造に非常に重要な役割を果たしています！美は真、真は美です。美感は科学者のインスピレーションの源です。

1953 年、ワトソン（Watson）とクリック（Francis Harry Compton Crick）は DNA 二重らせん構造を共同に提出し、彼らは DNA が簡潔、調和かつ美的構造をもつものだと考えています。彼らは本来の美しくない、調和でないというモデルを否定し、我々が見られた調和で自在な美の構造を確定しました。一方、『美学原理』の作者はさらに、黄金比と DNA の構造の関係を展開し、自然美は生命の中に根ざし、生命の初めに、生命の本源に根ざしました。それは「非生の物」ではなく、「有生の物」と「自在な物」です。

ポアンカレはさらに、美感の欠けた人は永遠に本当の創造者になれないと言っています。彼は言葉で表現できない美を科学理論の完ぺきな基準にしています。

蔡元培氏は美感教育を以って、宗教のかわりにすると提言します。我々が推進する受験教育は左脳の開発を加速させ、人々が常に緊張な状態に置かれ、老衰化現象が速く起きるため、右脳の感情発達が大いに滞り、文芸的教養を欠く障がい者になります。したがって、美的教育は非常に重要であり、我々は美的教育についての意識が不十分です。

四、美感の構造性

美感の構造と根源は主に三つの要素から由来します。

その一、自然界進化のプロセスの現れ（最適化）。これは自然美が生まれる根源で、自然美最適化の過程です。なぜ自然進化の現れ（最適化）は美なのか？それは、人間は対象世界の中でだけ自己を発見し、自己を肯定し、自己を陶酔して、自己の自由創造を鑑賞し、そして自己をつくり、自己を発展することができます。インスピレーションはここから生まれ、審美の感受になります。審美の美感の最後段階において人々が一番喜びの段階で、これもインスピレーションの現れで、現れの目的の因ともいえます。

その二、自然界の理性張力（即ち最小作用力）。例えば、絵画、詩歌、音楽、劇などみんな、この最小作用力（最少の要素、最少の極限空間、最少のコスト）を用いて無限大の空間、想像力と無限の思考と感情を表現しました。これさえできれば、この作品は時空を超え、この世の傑作となるでしょう。これは動力要素または動力因ともいえます。

その三、多様性の調和。一番代表的なのは地球の生態系、いわゆる「地球黄金ライン」、「生産率ピラミッド」。このような条件の下で、生態系のすべてが秩序あり、安定し、これは調和統一で、このような生態チェーンがまだ多く挙げられます。即ち、多元性要素的統一調和です。例え保存則は自然界の中の統一調和のシンボルです。音楽の中の旋律、リズム、拍節、調式、調性、和声、復調、曲式など、みんな多様性統一の調和です。例えば、ドイツの哲学者のシェリング（Schelling）は、建築が凝固した音楽だと言います。後に、音楽理論家のハウプトマン（Gerhart Hauptmann）は、音

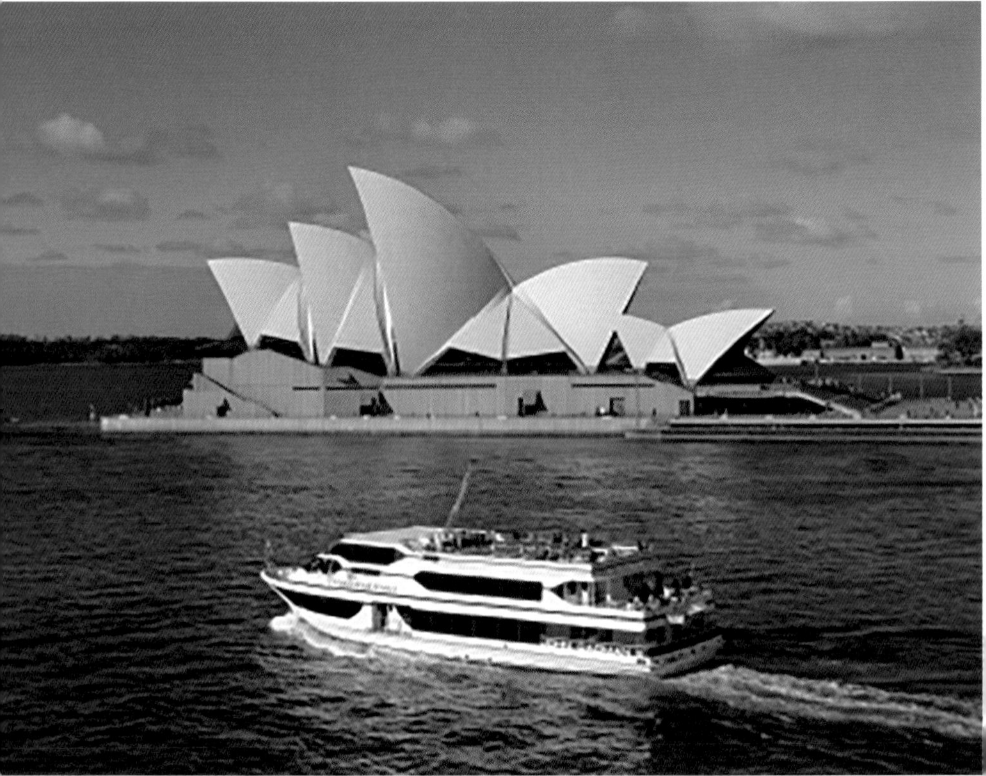

楽は流れる建築だと主張しました。両者の類似性、統一性、調和性があると見られます。この類似性は主に旋律、リズム、韻律、再現と和声から表現され、様ざまな流派があったにもかかわらず、調和的多様性の現れです。

ゲシュタルト心理学者のウェルトハイマー（Wertheimer）によれば、建築と音楽は同様で、抽象的な感情をあらわし、人の心を震撼させるその主な原因は、「力のモデル」即ち「脳の力場」の構造と建築物の「力の構造」モデルと似て、しかも同じです。我々は今、「力のモデル」は即ち「最小作用の原理」だと疑う余地がなく言います。したがって、この「力のモデル」は同じで、これは宇宙進化の動力、美の中心力です。

建築の要素に外見、体型、規模、群体、空間、環境などがあり、建築の美感はこれらの要素の構成によるものです。梁思成氏によれば、「詩意」と「画意」のほか、「建築意象」が彼に喜びを感じさせます。楽器も各種の組み合わせで、楽隊もいろいろな種類があり、色彩も様々な色の調和統一により、詩歌の中にも四声の調和統一などがあります。すべての芸術品はこのような特徴を呈しています。

以上の三つの特徴は、すべてお互いに依存し、相互協調し合いながら、美的世界を構成しています。それらも美の法則の主な神髄で、アリストテレスの言ったような質料の因に類似しています。

五、美感の階層性

美感の第一段階は視覚、聴覚、味覚、触覚から組み合わせた感覚です。それらは互いに補い、互いに保善協調をし、曖昧かつ支離滅裂な感覚に達します。これは直観ともいい、有形無形の美感を感じさせます。

美感の第二段階は知覚で、第一段階の昇華です。審美対象はすでに理性システムの全体を明確的に形成したところです。

美感の第三段階は情感です（連想、想像、空想を含む）。美感の情感は

倫理感情、知恵感情、友情などと違って、三者の調和的統一です。

美感の最高段階はインスピレーション（霊感）、瞑想、悟りです。インスピレーションは直観、知覚、情感の結晶で、新しい創造の始まりでもあります。

美感からインスピレーション、さらにインスピレーションから美感、これは、芸術美学と設計美学の根本な法則で、それらは、毎回より速くかつ高く循環をし、最終的に大美の境界に達し、ある種崇高の天の境界になります。今まで伝承されてきた傑作はみなこの特徴をもっています。

人々は代々鑑賞美、伝承美、創造美をし、喜びそして前進します。代々伝承していき、何が美？美は何？美はどうやって永遠に？これは、根本法則です。美の力もここにあります。

第七章 自然美

大自然の青空、昇ろうとしている太陽、美しい夕日、朝焼けの輝かしさ、澄みきった月光、懸崖にかかる滝、茫漠たる草原、滔滔と流れる大海、高くて険しい峰、うねうねと流れる川など、こういった天体の美、自然の美、地形の美は、すべて外的な美、形式美、機能美で、構造美の外面化です。

一、自然美は事物自身の固有属性

例えば、事物の均衡や対称、色の鮮やかさや調和、バランス良い比率、多彩なリズムと韻律の調和などは、皆自然美の固有属性です。

一本の小川、一つの小さい星、一片の白雲、一枚の緑葉、一滴の水、一輪の小さい花、皆とても美しいのではないか？その美しさはすべて自然美に属します。

（一）地形の美

エベレスト。地球上のすべてのものと同様に、エベレストは自然に形成されています。薄い空気と目まぐるしい高さで世に知られ、8844.43 メー

トルの標高で世界最高峰の山です。世間の大きな敬意と無限の崇拝を呼び起こすのに十分な高さで、その美しさは高さにあり、神秘性と卓越性にあり、人々に自然界への神聖な気持ちと畏敬の念を深めるものです。

カイラス山。数多くの宗教に神山とされ、「山の王」と呼ばれます。ピラミッド状の大雪山は雄大に聳え、太陽の光で山頂の積雪がきらりと輝き、戴冠式でのブッダの冠に見えます。

カイラス山について、ヒンズー教と仏教には「世界の心」という伝説があり、さらにボン教に最高のマンダラとされています。四方八方からやってくる後を絶たない参拝客はそれぞれの教義に従い参拝を行います。チベット人は、五体投地でカイラス山をコルラして最も敬虔な祈りをします。ここの宝物は、青空、白雲、山と神聖しかありません。

黄山の三大主峰。かつて徐霞客は、「五岳帰来不看山、黄山帰来不看岳」（五岳より帰り来たりて山を見ることなし、黄山より帰り来たりて岳をみることなし）という詩句を残しました。黄山は、昔黟山といい、伝説によると黄帝が修業し仙人となって天に昇る所でもあるため、唐の玄宗皇帝が「黄

山」という名を賜わいました。また、黄山は「五絶」と呼ばれる奇松、怪石、雲海、温泉、冬の雪でも世に知られています。黄山は 72 の峰があり、そのうち険しく美しい３つの峰は中央に雄大に聳え立っています。蓮花峰の優れた風景、光明頂の雄渾な気勢、天都峰の奇岩が連なる道、皆ぞっとするほど美しいです。

黄山は曾て「黄海」と呼ばれ、峰が雲霧と互いに照り映え、海ではないかと思わせるほど千変万化の景観を織り成しています。雲海に包まれる奇岩怪石や老松が見えつ隠れつ、「海到尽頭天是岸、山登絶頂我為峰（海盡頭に到れば天岸を做し、山絶頂に登れば我峰を為す）」という境地です。黄山は第一奇山とも呼ばれます。

その総合的な美しさは、唐詩宋詞の中の「三十六峰高插天，瑤台瓊宇貯神仙」という詩句で表れているように、巍峨、神秘、俊秀、綺麗、陽剛といった人々の持つあらゆる幻想を凝縮しています。これはまさに黄山の魅力です。

泰山。古くから「五岳独尊」という美称があり、気勢雄大で縦横交錯し重なり合う山容をなし、至るところに青々と茂る松や巨石が見えて、煙雲に包まれ、粛然としていながら奇麗で、壮大な景観を呈しています。

観光客は、泰山に登りながらその雄大さを振り仰いで大自然への畏敬の念を抱きます。また、古代の神話や伝説の醍醐味をゆっくり味わい、心の底から泰山への憧れや崇敬の念が湧き上がります。泰山の玉皇頂に登って遠くを眺めると杜甫の「会当凌絶頂、一覧衆山小（山の頂上に登り、周りの山々が足元に見る）」という詩句が頭に浮かんできて、色んなことに思いを馳せます。

華山。西岳とも呼ばれる中国の五岳名山の一つです。峰々が際立って天に聳え、四面が削られたようで、「華山天下険」と称されます。また、華山は道家の聖地でもあり、道家の“第四洞天”という説もあります。

五岳名山では華山が最も険しいです。華山に登るには、よそ見ずに一心不乱に進まなければならないです。特に長空桟道と鷂子翻身へは､必ずしっ

かりと足を地に踏みしめて手で鉄の鎖をぎゅっと掴んで登ります。こうすれば、「洗浄塵世浮華（浮世の浮華なものを清める）」、「道可道，非常道（道の道とすべきは、常の道に非ず）」という境地に辿り着けます。

揚子江。「江流天地外、山色有無中（江流は天地の外 山色は有無の中）」、「無辺落木蕭蕭下、不尽長江滾滾来（無辺の落木 蕭蕭として下り、不尽の長江滾滾として来たる）」、「大江東去浪淘尽、千古風流人物（大江 東に去り浪は淘い盡くす、千古風流の人物を）」等々、何れも激しい勢いで流れる広々とした揚子江を詠う詩句です。揚子江は、こういった詩句に詠われたように、昼と夜となく波立ちながら流れ、非常に雄大です。

長江流域は資源が豊富で、天恵を蒙る実り豊かな里で、私たちの生命の河、長江文明と文化芸術を育んで詩を詠ってくれる河です。このような母なる河は美しいのではないか。

黄河。河沿いには十数もの王朝の古都が並んで中国の誇りですが、黄土高原の地区を流れる黄河流域は、大量の土砂も流れ込み下流部に堆積し、下流の位置や河床は流域内の都市、田圃よりも高く、こういったところはすべて堤防に守られています。そのため黄河が「懸河」とも称され、開封人は「頭頂黄河流、人在水下走（頭の上に黄河の流れ、人は水中を歩く」と口ずさみます。

黄河は長江と同じ、中華民族の母なる河で中華文明の主な発祥地で、歴代文人墨客も黄河のために星空のように輝く無数の賛美詩を残した。最も有名な詩句として李白の「君不見、黄河之水天上来（君見ずや 黄河の水天上より來り）」、「黄河遠上白雲端（黄河遠く上る白雲の間）」、「黄河入海流（黄河海に入りて流る）」などが挙げられる。黄河はすでに中華民族の象徴とシンボルになっています。

黄河の最も有名な景観は黄河壷口瀑布です。最も代表的な文明のシンボルは「黄河大合唱」で、誇らしく荒涼とした、高らかな歌声で「私たちは黄河の子孫だ」という心の声を表しました。

内モンゴル呼倫貝爾大草原。広大な地域、柔らかく美しい風景、豊富な水草、縦横に交差する河川や空の星や碁石のように並んでいる湖で「北疆碧玉」と美称される。「天蒼蒼、野茫茫。風吹草低見牛羊（天は蒼蒼　野は茫茫　風吹き草低れて　牛羊見わる）」と描写されているように、その果てしない広さ、美しさ、感動的な神秘さが人にあこがれを抱かせ、中国の最も美しい６大草原の１位です。広々とした草原は、命を与え、心を落ち

着かせてくれます。夜になると無数の星が煌めいて、奥深い青空や浮かんでいる白雲、緑草やのんびりする牧群、こういった美しい景色の中にいるとまるで遠方の天国に辿り着いたようです。

シリンゴル草原。ここには、見渡す限り広い、奥深い壮大な美しさや、青空と白雲、緑の敷物のような若草、馬を馳せる放牧人と自然の調和美で、世界的にも有名な大草原の一つです。ソニド左旗には六百枚余りの岩絵群あり、洪格爾岩絵と呼ばれます。これらの絵は、すでに四五千年の歴史を持つ銅器時代の作品で、比較的良く保持され、我が国北方遊牧民族の狩猟、祭祀活動などの歴史場面を生き生きと描かれており、世界岩絵の宝庫の中の貴重な財産です。

草原上の元上都遺跡は、当時世界で最も有名な首都で、マルコ・ポーロの描写により世界的に名を知られます。元上都の正藍旗のモンゴル語はモンゴル語の共通語とされ、ウジムチンの羊肉は内モンゴルの最高の羊肉です。シリンゴルの草原文化は、蒙元文化の典型的な代表です。

祁連山草原。「黄金牧場」と呼ばれ、山紫水明で風景が絵のように美しく、空が青く雲が薄い、雪の峰々が高く聳え、広い草原と群れをなす牛や羊は

互いに照り映えて美しさを演出しています。

高山セツレンカ、きのこ状の蚕綴と雪山草は、祁連山雪線上の「歳寒三友」です。高原では、無霜期間が短く、草が年に２か月かしか盛んに生えないため、暖かくなるとあっという間に草原は緑の装いをまとって、野花が至る所に咲き乱れます。二ヶ月後草の種が剥れ落ち、朝ひどい霜が降り、野草の最も良い季節が終わって、大地は緑から金色に変わっていきます。

内モンゴル貢格爾草原。赤峰市ヘシグテン旗の西に位置し、自然風景、民族風情、人文景観、名所旧跡と草原文化が一体化した独特の観光名所です。ここは、豊富な水草に柔らかく美しい景色が心地良く、壮大雄渾で、草原には褥のような草や野生動植物が多種あり、河川が沼や湖を流れ、査干突河と貢格爾河が貢爾草原をうねうねと流れる。河流や湖は真珠のように草原を飾り、最も明るいのが「百泉楽園」と呼ばれる「達里諾爾湖」で、草原の美しい海です。

新疆伊犁那拉提草原。ここは古くから有名な牧場で、平坦な河谷、高くて険しい峰、縦横に交差する深い峡谷や茂る森林が草原の伸びやかな景色と互いに照り映えます。美しくて独特の草原景観と現地カザフ族の民俗風

情と融合し、天と地が渾然 ·体となり、カザフ人が心の底から愛する夢のような世界です。

北国の緑したたる大興安嶺森林。ここは祖国最北端の延々千里も続く森林帯で、原始林が茂り、我が国の重要な林業基地の一つです。北は黒龍江畔から、南西は拉木倫川上流まで、東北 - 南西に走り、果てしない広い森林に覆われ、古くから「緑の宝庫」という美称がある。樹木は、主に興安落葉松、樟子松、紅皮トウヒ、白樺、モンゴルナラ、山楊などがあります。

大興安嶺の東には「黒土地」と言われる松遼平原があります。大興安嶺の春は最も美しく希望に満ちた季節で、落葉松は新緑の若芽を出し始め、赤松は真っ青から緑に変わり、白樺、ウラジロガシと山楊も緑の装いをまといます。麓で一面に咲き乱れるツツジの花は現地の人に「達子香」と呼ばれ、その香りと松脂の特殊な匂いがしっくりと溶け合い、人を奮い立たせ魅了します。達子香は寒さに強くて生命力の強い低木の植物で、朝鮮族には「金達莱」と呼ばれます。

チベットヤルツァンポ江大峡谷。平均水深が 2268 メートル、谷が 6009 メートルほど深く、世界一の大峡谷です。落差が 1 キロ 5.4 メートルで、水の流速は毎秒 16 メートルです。水が満ち溢れ、激しい勢いで大

きく起伏しながら流れ、心魂を揺り動かすほど険しい中国最大の淡水資源貯蓄庫として、年間降水量は4500ミリ以上に達します。大峡谷は、豊かな水蒸気、高い山と深い谷、氷山積雪から熱帯雨林植物まで、植物の垂直分布の幅も広く、生物の宝庫を形成しています。

瀾滄江梅裏大峡谷。150キロの長さと広い幅に凄まじい気勢。目も眩むような深さと高さによって形成されています。峡谷の川面は海抜2006メートルで、左岸の梅裏雪山のカワカボ峰は海抜6740メートルの高地にあり、峡谷の深さと長さだけでなく流れの激しさでも有名です。150キロの川面落差が504メートルもあり、狭い川面の荒波が岸に打ち寄せ、水音が雷鳴のようで実に壮観です。

こんな険しい高山縦谷の地形は世界的にも珍しい。峡谷の中の山地森林

垂直帯の自然景観により、自然造化の美を目立たせます。また、ここは雲南のキンシコウなど珍しい動植物の重要な自然保護区で、かつては滇藏（雲南 - チベット）交通の「茶馬古道」でした。

壷口瀑布。黄河の水はこんこんとここまで流れてくると、幅300メートル余りの大きな流れは急に両岸に阻まれ、上が広く下が狭い50メートル

の落差で逆巻きながら、凄まじい勢いで比類ないほど巨大な壷から傾いているように流れ落ちて、「懸壷注水」の景観を形成した。黄河の水は、逆さまに懸かっている巨大な壷からこんこんと傾いているように、奔馬の勢いで、逆巻く荒波が岸に打ち寄せ、雷鳴のような音が数キロ離れても聞こえます。

中国の古書「書・禹貢 」に「盖河漩渦、如一壷然」と記載されているように、川の水が「投壷」のように投げられ、滝の下には、水道が狭く水が岩に突き当たり、「水の底から煙が出る」という見惚れる景観を形成している。砕け波は数えきれない小さな水滴を巻き起こし、煙雲が空中で立ち込めて美しい霧がまつわりながら立ち上り、日光に照らされると七色の光が輝き、虹が波や霧と舞い踊り、実に美しい眺めです。

諾日朗瀑布。中国で一番広い瀑布で、水が滔々と諾日朗池群から流れ出て、滝の頂部から銀河のように流れ落ちて珠簾のように見える。横たわる岩がハサミのように華やかな衣装を作って岩に着け、人をうっとりした神話の天国のような境地です。

秋の諾日朗瀑布は一番綺麗で、山の色が赤黄緑の三色に変わり、滝の紫煙がたなびき、虹が山間に横たわり、壮大で幻想的な光景です。

長白山天池。標高 2194 メートルの白頭山主峰白頭山の頂上に位置する高山湖で、火山が噴火後の火口に水がたまってできた中国一番深い湖で、最深部までの深さが 373 メートルもあります。周りを 16 個の峰に囲まれ、峰々の中に嵌められた碧玉のように見えます。

ここは常に雲や霧が立ち込めているため、その綺麗な全容はすべての観光客にはっきり見えません。天気が変わりやすく、風や俄雨の後、霞がたなびいてまるで縹渺たる仙境のように見えます。晴れる時には、峰の影が池の水面に逆さに映ると、色とりどりで人を惹きつける景色が広がります。特に突然の大雪の後、峰々が氷雪に覆われ、まるで童話のような世界になり、湖水が空の照り返しで青くなったのか、空が湖水によって青く変わったのか分かりません。湖水に白雪、峰と青空が逆さに映り、奥深い青色、幽遠、眩しい美しさ、心を揺さぶる美しさを見せてくれます。

バダインジャラン砂漠。内モンゴル自治区の西部に位置し、中国の四大砂漠の一つです。雲に聳える砂山、神秘に満ちた鳴砂、静かな湖と湿地は、バダインジャラン砂漠の独特で魅力的な景観を形成しています。

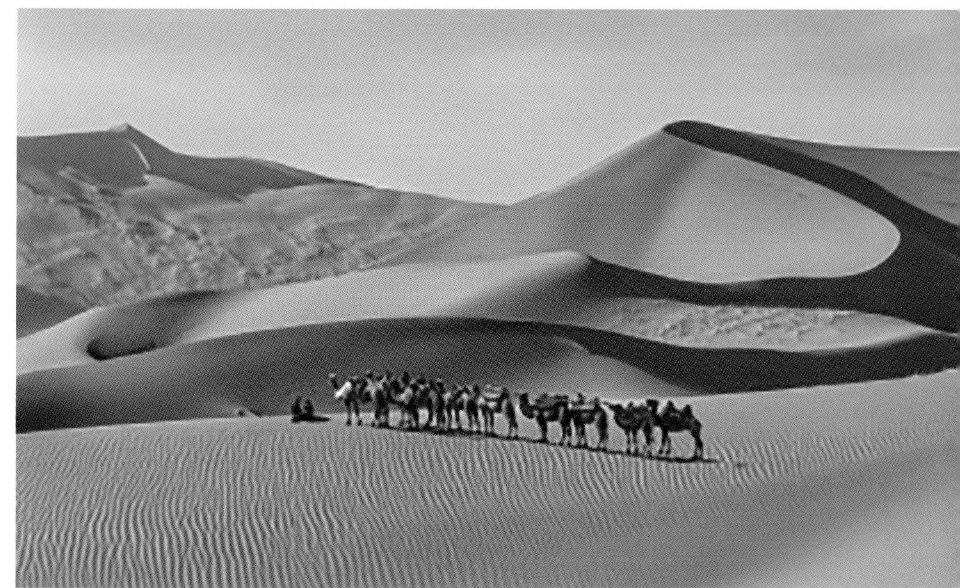

ここの生存状態は非常に厳しいが、砂峰、鳴き砂、湖、泉、古寺があり、五絶と言われる魅惑的な景観が楽しめます。大砂漠の砂たいが延々と起伏し、その交錯する曲線がまるで神の傑作です。

砂山の間に分布する湖（通称海子）が 140 余りもあります。廟海子の傍らにはチベット仏教寺院があり、砂山を後ろに湖に面し、厳かにしめやかで、典雅で落ち着きがあり、「砂漠の故宮」と呼ばれています。

桂林の山水。桂林が山紫水明で、洞窟が珍しく石が美しい。特に麗江が

陽朔を流れる部分の風景が一番美しく、「桂林山水甲天下 陽朔堪称甲桂林（桂林の山水は天下一、陽朔の山水は桂林をしのぐ）”と謳歌されています。竹のいかだに乗って漓江の水面にゆらゆらと揺れると、まるで一枚の長い天然の山水画が百里もの画廊を通り抜けているようで、「舟在江上遊、人在画中留」というのがまさにこの風景詩です。美しい峰、透き通る水が青空に映えてきらきらと輝き、山々の倒影と互いに照り映えて、宛ら仙境のようです。人々はここにたどり着くと、「群峰倒影山浮水 無水無山不入神（群峰が逆さになって水に浮かぶ、水無く山無くば、幻の世界ならず）」という境地が感じられます。

新疆巴音布魯克湿地。寒い天山山脈の地形の低い平野にあり、周囲を雪

山に囲まれています。溶けた氷水は湿地に命を与え、温潤で独特な美景を形成しました。水がないところには青草いっぱい生えて、数多い小川と河川が草地を面白い形に切り分けています。川の水が澄みきって浅く、遊牧民は楽に川を渡り向こう岸にたどり着けます。

草地の緑草がとても新鮮で柔らかく、「酥油草」と呼ばれる。見渡す限り果てしがない緑の草原には、瑪瑙のように光り、透き通る湖が星や碁石のように一面に散らばっています。大小多数の湖の水面には高貴なスワンがのんびりしています。現地観察によると、各類白鳥の総数は約世界の5分の3を占めます。巴音布魯克は、まさに世界最大の「白鳥の湖」で、1980年に国に一番目の白鳥自然保護区に列されました。

モンゴル語で巴音布魯克は、「豊饒の泉水」を意味する。1771年モンゴ

ル族トルグート部落が東帰の後、清王朝が山も水も草も美しい巴音布魯克草原を彼らに褒美として賜り、トルグート部落の代々生息する地になりました。

チチハルの扎龍湿地。面積は21万ヘクタールあり、嫩江支流の烏裕爾河はここに流れてきて河道がなくなり、溢れる水が広がってできた広大な沼地です。葦が茂り魚やエビが多く水鳥の理想的な生息地で。河道が縦横

に交差し、湖や沼が星や碁石のように一面に散らばっています。生態が良好な状態に保持され、鳥や水鳥の「天然の楽園」と呼ばれ、中国の有名なタンチョウとほかの珍しく貴重な野生水鳥の自然保護区です。

扎龍湿地は鶴で世に知られ、全世界に 15 種類の鶴が生息しているが、ここは 6 種も占め、タンチョウ、ナベヅル、マナヅル、アネハヅル、ソデグロヅルとクロヅルです。タンチョウは非常に珍しく貴重で有名な鳥で、この地域には 500 羽余りいて、世界中のタンチョウ総数の 4 分の 1 を占める。そのため、ここはかつてから鶴の故郷と言われています。

（二）動物、生物世界の美

それぞれの体つき、形態や外見、色や図案、皆驚くほど美しい。シマウマの美や緑野の花、シロチョウ、北方のゴビズキンカモメ等は、大自然を色とりどりに仕上げます。中国のパンダが誰からも愛されて、中国人の誇りです。南米の五彩コンゴウインコが言葉を失うほど美しい。蒼穹の覇主で驕り高ぶる鷹、森の王です虎、草原の王ですライオンとメダマ蜘蛛は、何れも大自然の神秘的な進化力を感じさせます。

反対の例として、毛虫、ワニ、ヒキガエル、ワニ、ウワバミ、毒蛇、トカゲ、カメレオン、灰狼、ドール、アフリカ野犬、カラカル、タスマニアデビル、ピラニア、蜘蛛、サソリ、マンドリル、ハリセンボン等が挙げられます。こういったものにも、不調和、アンバランス、外見が奇異という事物の固有属性あるが、皆生物や生態係のメンバーで、大自然の産物で、大自然の構成の一環です。これは、自然から生まれた美と醜が芸術の美と醜と本質的に異なることを意味しています。

人間社会では、息をのむほど美しい人も、見るも恐ろしいほど醜い人もいるが、いずれもDNAの傑作で、大自然の進化の過程で生じた変異、奇跡及び固有の特性です。

（三）花卉の美

花卉世界では、すでに百以上の国が自国を象徴する植物を国花や国樹に決めました。なぜなのか？これらの花がきれいすぎ、強すぎ、神聖すぎるからです。ゲーテのお言葉でいうと、花が個性に溢れます。花の個性が人の「人格」と国家の「国格」を代表しています。

例えば、イタリアの国花がヒナギク。

ポーランドの国花がサンシキスミレ（人面花、猫臉花、鬼臉花）。

フランスの国花がアイリス（藍蝴蝶）。

オーストリアとスイスの国花がエーテルワイスで、『サウンド・オブミュージック』の挿入歌「エーデルワイス」が、鉄骨錚々たるエーデルワイスの姿を謳歌しています。

日本の国花「桜」が、壮麗で一瞬の美しさで感動を与えてくれます。

インドの国花蓮の花は、仏教の４種シンボルフラワーの一つです。我が国宋代の周敦頤の「愛蓮説」には「出淤泥而不染、濯清漣而不妖、中通外直、不蔓不枝、香遠益清、亭亭浄植、可遠観而不可褻翫焉。」、李白の「経乱離後日恩流夜郎憶旧書懐江夏韋太守良宰」にも「清水出芙蓉、天然去雕飾」という蓮の花の賛美詩句があります。

睡蓮：毎日午前に咲き午後閉じるため、「子午蓮」と呼ばれ、清潔感溢れる妖艶で抵抗できないほどの魅力あります。古代エジプトでは太陽神の象徴とされ、ファラオが即位時の神聖な花で、現在はエジプトの国花です。また「ナイル川の花嫁」と呼ばれ、タイ、バングラデシュとカンボジアの国花でもあります。

バラ：ロマンチックな愛情の象徴で、寒さにも干ばつにも強いため「豪者」と呼ばれる。鮮やかで美しく生命力に溢れ、多くの国に国花とされている。イギリス人はバラのために「バラ戦」をした。白居易は、「玫瑰刺繞枝（薔薇に棘がある」という詩句で自然の野生的な究極の美を表現しています。

ひまわり：永遠に太陽や光に向かって、活気にあふれる様相を見せ熱意や忠誠心の高さが伝わってきます。ペルーなどの国の国花です。ひまわりの種は、頭状花序に螺旋線状に並んで時計回りと反時計回りに配列されている。ひまわりの種は２列の螺旋の交差点に生まれ育ち、育っている螺旋列は黄金分割の関係で、秩序と調和美を呈しています。

カーネーション --- 母の日に母へ贈る花。

百花の王牡丹：おっとりしていて美しくどれから見て良いかまごつくほど、国色天香の名が呼ばれ、繁栄、興隆、円満の象徴です。「落尽残紅始吐芳、佳名喚作百花王、竟誇天下无双艶、独占人間第一香（残紅を落とし尽くし

て始めて芳を吐く　佳名　喚びて百花の王と作す　競い誇る天下無双の艶　独り占む人間　第一の香り）」と牡丹を絶賛する唐詩もあります。

タイム --- スパルタの王妃ヘレンの涙。

情熱のキンセンカは、キリスト教に妊娠の花とされています。

青みを帯びた紫色の桔梗の花。

エジプトで神の花と呼ばれるケシの花。

花の咲き乱れるヒャクニチソウ。

萎まずに咲くゼラニウム。

永遠に懐かしい「ヒヤシンス」（五色の水仙）。

炎のように情熱的なトリトマ。

滴り落ちる血———ハナケマンソウ。

蘭中皇后との美称ある「胡蝶蘭」。

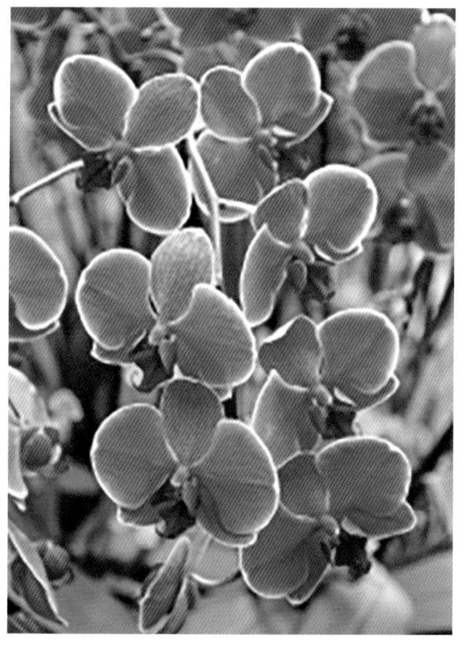

様々な花は枚挙にいとまがありません。鮮やかで奇麗な桃の花は、まるで唐代崔護の詩「題都城南荘（都城の南荘に題す）」で賛美した偶然に出会った美人のようです。「去年今日此門中，人面桃花相映紅。人面不知何処去，桃花依旧笑春風。（去年の今日此の門の中　人面桃花あい映じて紅なり　人面はいずこにか去るを知らざるも　桃花は旧に依りて春風に笑む）」

清々しい香り、野山のハクモクレンと仏教の宝華マンドレイクは、東洋人に幸福の花とされています。

高貴で美しくロマンチックなチューリップは、曾てオランダの経済危機を引き起こしました。

素朴でシンプルなプルメリアは、ハワイ人に花輪にされて遠方からの友達に贈られます。

花中西施「ツツジ」（別名ヤマツツジ）。

鮮やかで美しいブッソウゲは、ハワイの州花で、最も美しい色の花の一つです。朝は朝焼けを浴びながら恥ずかしげに咲き、夕方は落ちていく夕日とともに静かに閉じてしまいます。

旧暦９月９日重陽節に欠かせないサンシュユ。唐代の詩人王維は、「独在異郷為異客，毎逢佳節倍思親。遙知兄弟登高処，遍插茱萸少一人。（独り異郷に在りて異客と為り、佳節に逢う毎に倍す親を思います。遙かに知る兄弟の高き処に登り、遍く茱萸を插して一人を少くを)」という重陽の美しい趣を詠う詩を残します。

女神のスリッパ（スリッパ蘭ともいう）は、愛神ヴィーナスの靴だとされる。その満開の花を見ながら神話の世界に思いを馳せます。

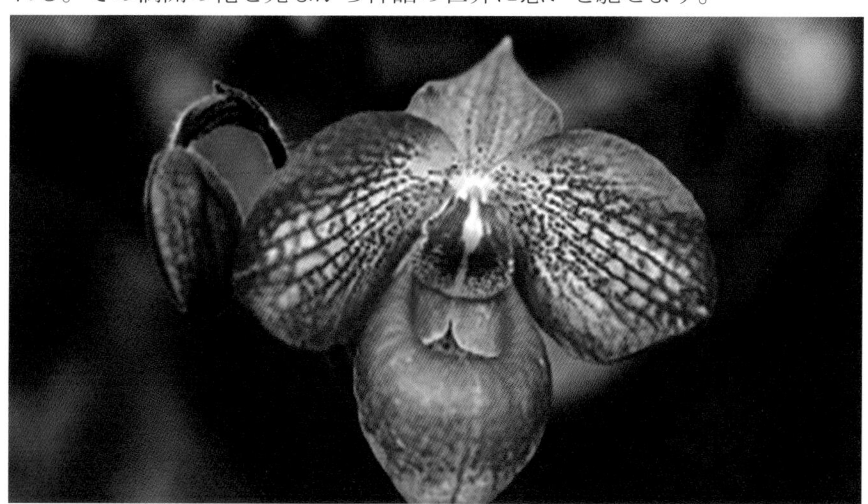

カトレアは、おおらかで華やか、色があでやかで変化に富んでおり、香りが強くて馥郁としています。国際的には、「洋蘭の王」、「蘭の王妃」という美称があり、ブラジル、アルゼンチン、コロンビアなどの国花です。花形が少女と婀娜な蝶のように見えます。セッコク、胡蝶蘭と、万帯蘭と並ぶ四大観賞蘭に列します。

タンポポは、最も自由な植物の花です。ふわふわ飛ぶタンポポの絮が空に舞いながら風に飛び散り、風の中で命の種を至る所に蒔き、希望の光を飛ばし、命を繋ぎ合わせ、夢を叶えようとしています。

カンナは、伝説によると仏祖の足趾の血からできています。その美しさや鮮やかさが溢れるばかりに満ちています。

ホットリップは、まるで少女の口紅のようで、大自然の造化の妙は実に感心です。小さな花が「唇の間」に咲き、とても精巧で美しい。

（四）木の美

額済納河胡楊林。バダインジャラン砂漠の額済納河の両岸に分布する中

国で最も壮観な胡楊林は、神秘的な自然景観と独特な人文風格があり、大砂漠の緑の珠玉とも言えます。毎年一回目の秋霜が降り、一面の胡楊の葉が青から黄色に変わり、一目見渡せば、太陽を浴びる黄色の葉が青空に照り映えて軽やかに風にそよぎます。その強烈なコントラスト、鮮やかな影、

明るく美しい色彩が大変なインパクトを与えてくれます。

胡楊は砂漠の中に生存する唯一の高木で非常に珍しく、大自然の生命力を見せてくれます。「生きている化石」と呼ばれる銀杏の木と同様に、寒さにも干ばつにも強く、耐アルカリ性に優れて風にも砂にも負けず、頑強な生命力を持っています。水不足の砂漠で、胡楊の根系は高濃度のアルカリ化の水分を吸収後、木の幹の節と裂け目を通じて余分な塩分を自動的に排泄し、木の幹に白色または淡黄色の塊状結晶が形成され、「胡楊の涙」と呼ばれ、また「胡楊アルカリ」という俗称もあります。地元の住民は、それを摘んでパン種の発酵や石鹸作り、さらに羅布麻の精錬剤や製革の脱脂原料としても使われます。

一本の育った胡楊樹は、毎年数十千グラムのアルカリ塩を排出し、「アルカリ塩を抜き土壌を改良」する「土壌改良功臣」と言えます。胡楊の葉も非常に珍しい。若木の若枝に育つ葉っぱは柳のように細長いが、大きな木の古枝に育つ葉っぱは膨らみがあって滑らかです。葉縁に切れ込みがある葉っぱは、少し紅葉に似ています。胡楊は実に神秘的で環境によって形も変わりやすく強い樹種で、春夏は緑色に、晩秋は黄色に、冬は赤に変わり、樹齢は何百年にもなります。また、「胡楊生而千年不死、死而千年不倒、倒而千年不朽（胡楊樹は千年も生きられ、死んで千年経っても倒れず、倒

れて千年経っても腐らない)」と称賛されるように、胡楊は三千年の輪廻の樹種です。西北の荒涼とした大地における優れたものを論ずるならば、我々が誇りに思う胡楊です。

樫の木、高くて素朴で、アメリカの国樹とされ、強壮の象徴です。

白樺はロシアの国樹で、その美しい姿で「森の中の少女」と呼ばれる。傲然と聳え立ち、優雅さもあり、凍てつくような寒さを凌いでいます。

楓は秋の寒風中で堂々と立ち、真っ赤な紅葉で山々が一斉に赤に染まり、蕭条たる晩秋の景色を赤く染めます。この景色は、唐代の詩人杜牧の次の詩句を思い起こさせます。「停車坐愛楓林晩、霜葉紅于二月花。(車を停めて坐に愛す楓林の晩、霜葉は二月の花よりも紅なり)」 カナダは「楓の国」

と称せられ、軽やかに舞う楓は至る所で見られる。秋風がひとしきリ吹いて、紅葉がふわふわと飛び散り、一幅の生気あふれる絵巻物を描いているようです。

洋蘭は、童話の木と呼ばれ、夏花の輝きと秋葉の静謐な美を一身に集め

ます。

バオバブはアフリカ、オーストラリア、地中海、大西洋とインド洋諸島に散在しています。幹が巨大で、樹冠が奇々怪々な形になって木の根に酷似し壮観で、果実がフットボールのほど大きく、砂漠のオアシスの生命の樹です。

長寿のブリストルコーンパインは、自動的に「睡眠」状態になり成長を停止するため、老衰で死んで朽ちることがありません。

海岸で風にそよぐ椰樹は、葉が長くて静かに垂れ下がり、巨大な羽毛のように完璧な弧度を見せてくれます。朝は朝焼けを迎え、夕方になると夕焼けを追い回します。

デイゴ（刺桐）は象牙紅の美称あり、可愛くて小ぶりな花が赤く艶々してそのみずみずしさが溢れるばかりです。デイゴは唐代の詩人王穀が作った「刺桐花」という詩にこう書かれています。「南国清和煙雨辰，刺桐夾道花開新。林梢簇簇紅霞爛，暑天別覚生精神。」

竹。梅、蘭、竹、菊は「四君子」と呼ばれます。また、松、竹、梅を「歳寒三友」と呼ばれます。竹は、気高い風格と堅い節操の象徴で、高潔で不屈の精神を代表しています。

（五）詩にあらわれた自然美

曹操の『観滄海』は、海天一色の大自然の美しさを生き生きと描きました。

東臨碣石、以觀滄海。

水何淡淡、山島竦峙。

樹木叢生、百草豐茂。

秋風蕭瑟、洪波湧起。

日月之行、若出其中。

星漢燦爛、若出其裏。

幸甚至哉、歌以言志。

もちろん、作者の人格美も詩に表れています。

李白の『蜀道難』は、さらに前例のない美辞麗句で、大自然の美しさを称えました。

噫吁嚱，危乎高哉！

蜀道之難，難於上青天！

蠶叢及魚鳧，開國何茫然。

爾來四萬八千歲，不與秦塞通人煙。

西當太白有鳥道，可以橫絶峨眉巓。

地崩山摧壯士死，然後天梯石棧相鉤連。

上有六龍回日之高標，下有衝波逆折之回川。

黃鶴之飛尚不得過，猿猱欲度愁攀援。

青泥何盤盤，百步九折縈巖巒。

捫參歷井仰脅息，以手撫膺坐長歎。

問君西遊何時還，畏途巉巖不可攀。

但見悲鳥號古木，雄飛雌從繞林間。

又聞子規啼夜月，愁空山，蜀道之難，難於上青天！

使人聽此凋朱顏。

連峰去天不盈尺，枯松倒挂倚絶壁。

飛湍瀑流爭喧豗，砯崖轉石萬壑雷。

其險也如此，嗟爾遠道之人胡爲乎哉！

劍閣崢嶸而崔嵬，一夫當關、萬夫莫開。

所守或匪親。化爲狼與豺。

朝避猛虎，夕避長蛇， 磨牙吮血，殺人如麻。

錦城雖云樂， 不如早還家，

蜀道之難，難於上青天！側身西望長咨嗟。

この詩から李白の個性美も余すところなく読み取れます。

李白の「峨眉山月歌」。

峨眉山月半輪秋，

影入平羌江水流。

夜發清溪向三峡，

思君不見下渝州。

この詩で描いた澄みきった奇麗な秋月が緑水に映り、山高くして月小さい影の下で、半輪の月が格別に美しい。

李白が秋月を故郷と別れを惜しむ旧友の象徴として、溢れる感情を込めたこの詩の震撼力は、人の胸に深く染み込むほどです。

李白の「望天門山」。

天門中断楚江開，

碧水東流至北廻。

両岸青山相対出，

弧帆一片日辺来。

この詩は、遠方の天門山の壮美な景色と、二つの山に挟まれる川の自然美を描いています。神が創った高くて険しい天門のような眺めです。

李白の「江上吟」

木蘭之枻沙棠舟，

玉簫金管坐両頭。

美酒樽中置千斛，

載妓隨波任去留。

仙人有待乗黄鶴，

海客無心隨白鷗。

屈平詩賦懸日月,

楚王臺榭空山丘。

興酣落筆揺五嶽,

詩成笑傲凌滄州。

功名富貴若長在,

漢水亦應西北流。

この詩は厳密な構成、優れた技法、深い詩趣、純真かつ飄逸、奔放かつ奇妙な詩風の魅力に満ちています。川沿いの色とりどりの景観を即興で生き生きと描いて、人々をうっとりした境地に引き入れます。詩人の低俗な現実への軽蔑と自由への追求も表現されています。

二、自然美の階層性

まず、超マクロ的視点と宇宙観から見ると、広漠たる宇宙の美しさがあります。特に夜が更けて人が寝静まる秋に、星空を眺めると大空の奥深さと美しさに驚嘆します。その美しさは、忘れ難い美しさ、驚嘆すべし畏敬すべき美しさ、宇宙の美しさです。

次に、超ミクロ的視点とミクロ的視点から見れば、細胞の美しさとDNAの美しさがあります。一番面白いのは、自然界のあらゆる形態美が細胞の中に発見できます。例えば、人体の上皮組織の細胞は、扁平や立方や柱状などの形で様々な形態美を呈しています。こういった形態美は、細胞形態に似たような形で存在し、超ミクロレベルとミクロレベルの物質の相似性で生まれた美です。人間がなぜ「自然が美しい」というのに共感するのか、こういった自然美の淵源を探れば分かってきます。

最後に、マクロ的視点から見ると、自然界には植物、動物、生物の様々な美が存在し、その形態はすべて細胞の中で見つけることができ、マクロ的に言えば調和美です。

自然美の階層性から、下記のことが明らかになります。

第一、宇宙、太陽系、地球、人類のすべての物質系は、共通の本質を持っています。これは物質面の階層性の基礎で、システム相似性の基礎で、物質システムと意識システムの相似性の基礎です。即ち、相似性は、物質、

美と思惟の共通基礎となっています。

第二、特異点の進化はすべて相似生成で、相反生成ではない為、細胞の中の形態美は、自然界の類似の形態美の存在を反映しています。ケプラーの第1法則によれば、惑星は楕円軌道に沿って太陽の周りを公転し、太陽は楕円軌道の一つの焦点にあります。この楕円軌道の形態は、まさしく細胞の中の一つの扁平な細胞に似ています。銀河系と他の星系は、その形態から見れば楕円状と渦巻状に分けられて、いずれも細胞の中に類似形態を発見できます。その形態美は細胞から生まれ、超マクロ的な宇宙まで表れて、実に感嘆すべきことです。これは、中国の古い哲学が示す「天人合一」思想と現代科学の真理との一致を意味しています。

物質進化の階層性は、上のレベルと次のレベルの類似を構成しました。これも自然界の美しいものが、人々の意識や感情の中で美的感覚や美的意識を生む原因です。思想、意識、美感も物質階層が進化した結果なので、必然的に物質形態の相似性、共通の認識性と共生性を持っています。

三、自然美の構造性

自然美は、以下の3つの要素から構成されます。

第一、動力因。美の動力は物理学の基礎理論、つまり最小作用量原理です。省エネ、省時間は自然美の進化過程の基本要求です。この基本原則に背くすべてのものは次第に淘汰されてしまいます。

第二、目的因。つまり進化の目的。最適化、美化はすべての物事の究極の目的です。物事各レベルの美の進化は停止することはありません。歴史は美の誕生から、究極の美の出現まで続き、調和的世界と人間社会も必ず実現します。これはマルクスが1848年の「共産党宣言」で掲げた共産主義の理想で、中国の陶淵明の「桃花源記」で描いた「桃花園社会」に似ています。いずれも人間社会には美しい未来があると考えています。共産主義は一つの究極の美、人類社会の進化美、自然界の究極の美です。しかしその進化は数千年もの長い年月が必要で、決して数百年の短い時間で実現できるものではありません。百年、数百年は短すぎて、ただ千年と万年を待ちます。

第三、形式因。つまり機能因で、美の外的表象で、相似生成と相似進化です。その核心は黄金分割の数理的な原因です。例えばDNAの二重螺旋の構造美。

以上の三つの要素（つまり美の構造）は美の機能、美の役割、美の表徴、美と真、善の統一性を決定しました。例えば、ある人の構造が合理的、均衡的、調和的であれば、この人は必ず省エネ且つ省時間的、能率的な有機体で、自然進化の傑作です。人間の形態美はまたとない奇跡です。以下に幾つかの例をあげます。

人間の拡張期血圧はと収縮期血圧との比率は、黄金比です。

人間の正常体温 37℃と 0.618 の積は、人体が一番快適だと感じる温度 22.8℃です。この温度では、人間の生理機能と新陳代謝が最適な状態になります。

人間は、美の刺激を受ける時、脳波に「β波」が見つかり、そのβ波の低週波とβ波との比は 0.618 です。

人間の拡張期血圧は、収縮期血圧と 0.618 の積で、これは拡張期血圧と収縮期血圧の最適な比率で、心臓機能が最も良い状態になる比率です。

人間は、体全体と各部分間に神聖な割合にあります。ダ・ヴィンチによれば、人体部分は身長と簡単な整数比になっています。人間の美しさは各部分と各部分からなる全体と理想的な割合、構造的合理性、機能的調和性によってあらわれる。形式美と構造美の最高法則は調和です。

ライオン、虎、牛、馬、羊などは人間が好ましい動物で、いずれも前肢で体を 2 つの部分に分けて、その水平な長さは黄金分割と一致しています。

これはすべて美の動力因と構造因の体現です。

自然の子の人間は、自分も自然の進化の産物ですことを忘れがちになります。「私は生きている、故に私は考える」や「美は私の理念のあらわれ」などと思ってしまい、全ては理念主義または唯心主義のものです。これは、非現実的で非科学的な並外れの考えです。こういった人々は常に自分を第一位に、大自然を第二位にします。大自然が私のため、私を中心に回っている、私が大自然の中心だと考えてしまいます。

実は、理念も物質の表れです。自然が美しければ、人々も美しいと思います。これは自然進化の自己相似性で、フラクタル原理の基本特徴の一つで、これについてはすでに前文に論じました。

芸術家の目的は人類の目的と同様に、自然美とその法則を見つけることです。科学者の目的は自然の真及びその法則の発見です。そして人間は自然美と自然の法則を人類の幸せのために応用し、違う目的で使うべきではない。私たちが大自然の核心で大自然の主人だと思ってはいけません。自然が我々の母たる存在ですことを肝に銘ずるべきです。

四、自然の中の美と醜

醜は極まれば美に転ずることあるのか？これは完全に生長環境の条件によって決めます。

臭くて堪らないラフレシアは、死体が腐ったような匂いを放つ花とも呼ばれます。花が咲く時放つ刺激的な腐臭や花粉が発散する異臭は、ハエなど腐肉食動物の送粉者を誘引する為、ハエはラフレシアの生息の功労者です。しかし、ラフレシアもその臭いも自然進化の産物で、香るようになれない、香るようになるとラフレシアではなくなってしまう。この花は極めて臭いが、外見から見ると格別に美しい。その「臭味」を変えるには、遺伝子と生長環境を変えなければならないです。

イギリスの画家、美学者のホガース（William Hogarth）は、醜は自然のある種の属性だが、適応すると美があらわれ、適応しないと醜があらわれることがあるといいます。例えば、体のサイズの比例が0.618という黄金比になっている人は、必ず美しく、効率的、省エネ且つ省時間ができる人です。逆の場合、この人はきっと変異の産物に違いありません。

ドイツ啓蒙運動時期の哲学者、美学者バウムガルテンによれば、よく整った外形は美しい、整っていなければ醜い。

理論的に言えば、美は、自然界の差異と調和、乱雑と統一、多様化と調整によって生まれてきます。自然の調和がなく、乱雑だけでは醜しか生まれてきません。しかし、美と醜は相対的で、多レベルで、両極の極端な構造だけではなく、もっと重要なのは美と醜は具体的で、抽象的ではありません。自然美と自然醜は、芸術的な美と醜とは異なるレベルの問題で、混合して論ずるべきではありません。

莊子は、「淡然无極，而衆美帰之（澹然無極にして衆美之れに従う）」という言葉を残しました。これは、人文的なイデオロギーを超えて、素朴な自然への復帰と理解すべきだと思います。

ところが、芸術的に謂われる醜は、虚構的、人為的、非人間的なので、人々に醜、悪を感じさせる。

簡単に言えば、自然界には「美の根本」、美そのものがある。その本源が各レベルからあらわれる美（階層化による究極の美）で、「神の比例」で最小作用量原理を動力とする自身の美化運動です。

最適化(美化)過程は、最小作用原理の極値化の過程で、階層美の極致を追求し、究極の美を形成する過程です。

大自然は究極の美です。

自然の進化過程は美のあらわれの過程です。大自然から生まれた醜は、進化過程で異化の産物ですが、究極の産物ではありません。究極の産物は最適化と美化です。

世界で宇宙と自然以上の美しいものはありません。人類社会

と宇宙と自然との共同進化過程であらわれた自然美は、すべての芸術美と設計美の源です。

人体美を例にしてみます。上半身と下半身、左と右、目、耳、手、足は、対称的でバランスよく、敏捷で優美な動作、多彩なリズムや調和のとれた韻律。その奇妙な構造、比類ない精緻な造形の妙は、芸術美と設計美の永遠のテーマです。

ダ・ヴィンチによれば、人体の各部分は身長と簡単な整数比になっています。人間の全体の美は、各部分の均整がとれた、機能的合理性を持つ有機体から生まれます。不調和から生まれるのが醜です。

これは、人間の姿態美、性格美、精神美、構造美と生き生きとした健康美を体現しています。

人間の存在は、まさに美の展示、美の進化、美の極致です。

造形美（外面美）、心の調和、勇気、自信は人間の本質です。自然は人間の唯一の先生で、人間社会美の母なる存在です。

人類社会発展の歴史は、人間が命の美しさを創造する歴史です。人間は美の法則によって自然に作られたもので、最小作用量原理によって彫刻されたものです。

歴史が始まるところは、美が始まるところです。

自然美がうまれるところは、宇宙文明が生まれるところです。

第八章　芸術美

ドイツの有名な歴史学者のエルンスト・グロッセ（Ernst Grosse）によれば、芸術は芸術自身を重視し、外的な目的がなく、芸術自身から楽しみを得るのが、芸術活動の特性です。

芸術美は自由で理性的な自己運動と自然美の理念面での融合、調和と統一で、その出現階層での美化運動、そして人々の意識の反映です。

一、芸術美の誕生

芸術美は芸術家の「理念」、「霊感」、「激情」による自由創造ですが、こういった「理念」、「霊感」、「激情」は芸術の法則に符合し、芸術的思考と感情の合致を前提としての再創造です。

これらの「理念」は突発性、ランダム性、環境性、条件性、どんな人間にもどこでも何時でもあらわれる思惟、理念、霊感、激情、狂幻のようなものではないです。

例えば、1897 年に、フランスのポスト印象派の画家ゴッホは、単一カラー、分割抽象的、自然超然な表現スタイルがあまり人気なく、経済的収益もゼロでした。それに健康問題や娘を亡くした悲しみといった精神的な刺激で自殺未遂も経験しました。彼が救われて間もなく、わずか 1 カ月余りで長さ 4 メートルの後世に残る大著「私たちはどこから来たのか？私たちは誰か？私たちはどこへ行くのか？」を描きました。作者はこの絵で人生の迷いと死の神秘、本人の貧困、苦痛、自殺企図の内心世界を表現し、人々に大きな衝撃を与えました。彼は後に、自分の全精力をこの絵に投入したと語りました。一ヶ月以上、ずっと言語に絶するほどの狂気状態で、不眠不休でこの絵を描いていました。この絵が完成するまでに自ら恐ろしい経験と悲しみを再現し、夢幻的な手法で読者を夢か現かの幻想的な時空へ連

れて行きました。

この絵は後世に残した哲学的な意義深い大作で、人々に無限な想像を膨らませ、巨大な魅力、即ち燃え上がる情熱と霊感の炎で人々を魅了しました。この絵は、大きな富鉱のようで、尽きない啓発や味わいを残してくれました。

二、芸術美の階層性

芸術美は、無限の階層があり、新しい階層が絶え間なくあらわれてくると言えます。

(一) 造形芸術

その一、絵画

西洋絵画はすでに完全な体系を形成しています。変化や新奇を追う伝統と個性化特徴は、西洋絵画芸術を大きく発展させました。

古代エジプト美術は三千年以上続いたが、ギリシア美術の誕生は西暦1000年以降です。紀元前5世紀から4世紀にかけて、ギリシア彫刻は輝かしい成果を収めました。

西暦476年に、ヨーロッパは中世に入った。中世紀は暗くて野蛮な時代だが、中世の芸術は、多元文明の融合体でした。

文芸復興がイタリアで発祥したため、イタリアは文芸復興の長男と言われています。

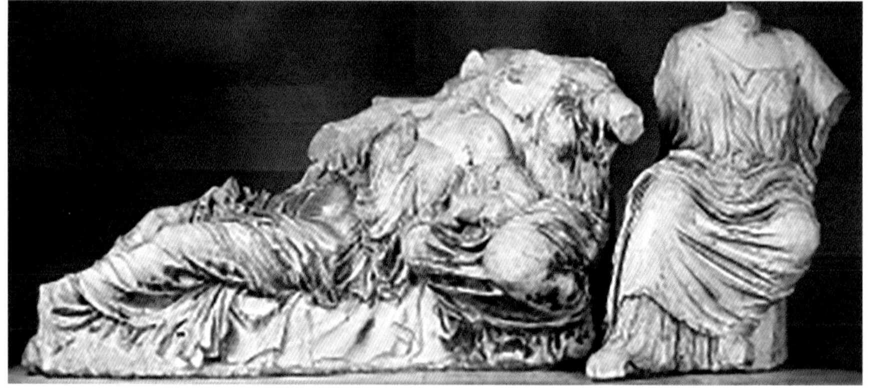

イタリアルネサンス期の傑出した彫刻家、画家と建築家ジョットは、「ヨーロッパ絵画の父」と称されます。彼は写実主義の原則を創立し、後代に大きな影響を与えました。

西暦 15 世紀から 16 世紀にかけて、ルネサンスは全盛期を迎えました。ダ・ヴィンチは自然科学の研究を基礎にスフマート技法を提出しました。ミケランジェロの激情と力感、ラファエルの優雅さとリズム感も実に素晴らしい。

西暦 17 世紀から 19 世紀にかけて、ヨーロッパ学派の主流ですバロッ

ク芸術スタイルは、非理性と幻覚的効果を主張し、特に動感の表現を重んじたのです。

19 世紀には、新古典主義が現れました。

数百年の社会や考え方の進歩の成果として、ヨーロッパの社会構造や観念はすべて大きく変化し、芸術、絵画の風格も変わってきました。そしてヨーロッパ現代主義、野獣主義が現れ、やがてペガソ、ブラックを代表とする立体主義なども現れました。

未来主義、ダダイズム、超現実主義などの流派は、いずれも直感、潜在意識などの心理的メカリズムを追求します。

芸術の美と醜、芸術と非芸術の境界線が益々ぼんやりしてきました。芸術家のマルセル・デュシャンは反芸術運動を頂点に推し進めました。その典型例として、1917 年にマルセル・デュシャンは『泉』と名付けた小便器を、芸術品としてアメリカ芸術品展覧会へ匿名で送り届けたことが挙げられます。

今回の展示では、『泉』は、他の作品を一挙破り、21 世紀に最も影響力のある作品となったです。さらに、1919 年、マルセル・デュシャンは鉛筆で「モナリザ」の複製品の顔に口髭と顎鬚を描いて、「L.H. O. O. Q.」と名付け、ダ・ヴィンチの傑作を皮肉の対象にして伝統軽視、束縛嫌い品性を表しました。

ポストボダンは、もっと個性的なスタイルの無視や「庶民化」を主張し、こういった様々な学派がヨーロッパで目まぐるしく相次いで現れました。

その二、中国の造形芸術と絵画。

中国絵画の起源については、唐代の張彦遠の『歴代名画記』によれば、図形と文字の分離によって、絵画は一つの独立した芸術になれました。また、絵画技法の研究は秦漢時代に入ってから始まり、さらに魏晋時代名家の誕生は、絵画が円熟に達したことを示ししました。

魏晋南北朝時期のいわゆる「五胡乱華」は、中原地区と少数民族が互いに融合の時期です。南北紛争は数百年に及び、皇帝、王侯、将軍と宰相の積極的な推進により、文化が栄え、仏教思想も中国に伝わり、虚無や厭世主義と荘子の玄学が盛んになり、仏教思想の学説は書画美術を含み社会のあらゆる面に現れました。竜門彫像を見れば、当時の風俗の一斑が分かります。この時期の絵画の主な役割は、政教のためです。

六朝以前の絵画はほとんど建物装飾に使われました。六朝に入ってから独立性を持つようになったが、山水画はまだ独立してなかったです。当時重宝されたのは仏教とともに伝わって来た仏教の絵と道教を宣伝する絵と彫刻で、信仰を表現する絵画が流行しました。

南北朝時代の絵画は、雄渾で明晰な彫刻が多く、主に拓跋氏の所在地を中心に作られました。隋朝に入ってから、魏晋南北朝時の気風に経学が取って代わり、絵画も両派の特徴の融合を通じて発展しました。

唐の玄宗が即位してから文教が繁盛し、道教が益々流行した。唐代後期の絵画は南北派に分かれました。

唐代画家韓幹の鞍馬画は「形似を超える伝神」、「肉を画いて骨を画かず」という評判で広く知られます。南唐後主李煜は画院を設立しました。彼が描いた山林、飛鳥は、他の画家より遥かにレベル高い。彼が描いた竹は、

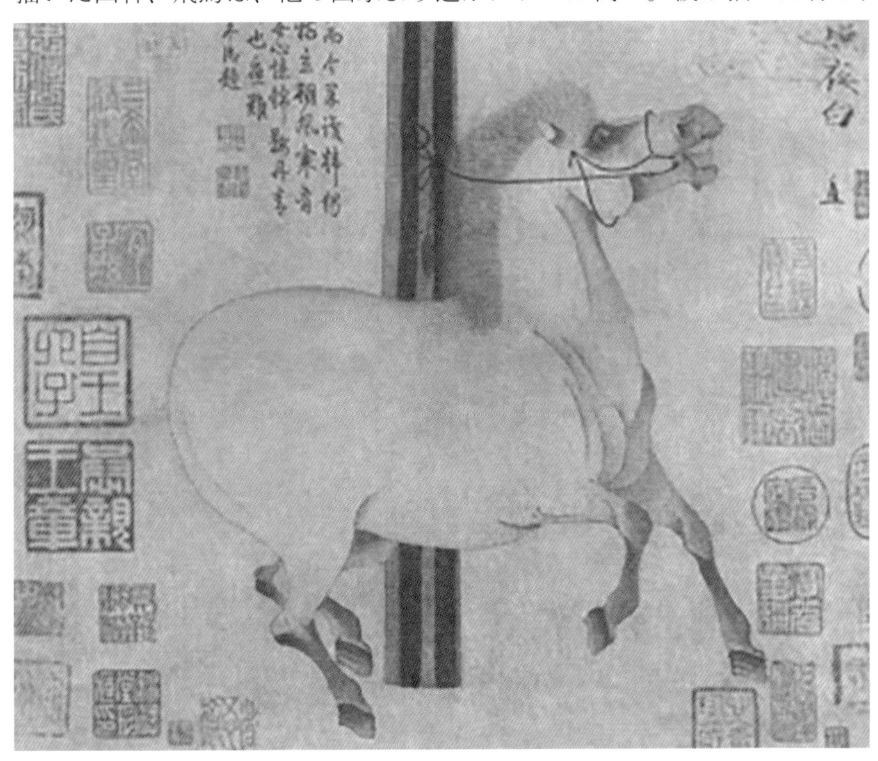

根元から竹の先まで小さく細く、「鉄鉤鎖」と称されます。

花鳥画は五代末に形成し、梅や竹を絵描くのが宋代からでした。

宋代は中国文芸の復興時代だと言えます。理学は集大成され、芸術的な絵画が急速に発展しました。主な理由として社会的な絵画の需要が大きく増えて各階層の職業画家は活躍していました。

宋代の絵画芸術は技巧的に多数の大きな創造が生まれ、人物の精神的様相や感動的なシーンを表現し、性格鮮明な芸術イメージの作成に工夫を凝らしました。花鳥画、山水画は優美で感動的な境地や情趣を極め、リアルで巧みな芸術表現を重んじ、写実能力が高かったです。この時期、中国の絵画芸術は一つのピークを迎えました。

画院は唐代よりもっと発達し、画風は形や色だけでなく、気韻生動も重んじるようになり、絵画はさらに専門的に細分化されました。宋徽宗時期における画学は、仏道、人物、山水、鳥獣、花竹、屋木という六科目に分けられました。宋徽宗は「踏花帰去馬蹄香。」、「嫩緑枝頭紅一点，悩人春色不須多」といった古詩で画題を決めて絵を描かせました。

唐代の王維は、《山水論》で「凡画山水，意在筆先。丈山尺樹，寸馬分人。遠人無目，遠樹無枝。遠山無石，隠隠如眉；遠水無波，高与雲斉。」と述べているが、これでは中国画の欠陥も分かります。遠近、明暗、配置も絵画の要素として重要視すべきですが、唐宋絵画は、形似より、専ら伝神を追求します。いわゆる絶妙な画境、丹青の妙技を極めます。こういった要求はあまりにも一方に偏しています。

元朝の饒自然は、中国画画法論著《絵宗十二忌》に下記のことを指摘した。一、布置迫塞、 二、遠近分からず、三、山に気脈なし、四、川に源流なし、五、境に夷険なし、六、路に出入りなし、七、石一面に止まる、八、樹に四枝少なし、九、人物傴僂、十、楼閣錯雑、十一、濃淡宜しきを失う、十二、点染に法なし。彼の見解は非常に適切ですが、芸術界に余り理解されてなく、まじめに実践にも応用されなかったです。

魏晋以降、絵画は徐々に写意から写実へ方向転換しました。

明朝は画院を設立しました。自然で豪放な画風が尊ばれ、画家は筆墨技法に造詣が深く、潤筆と渇筆を織り交ぜてバランスよく書くことができて、柔らかさの中に強さがある。随時宮廷や皇帝の要求に応じて手際を見せます。しかし、画家は往々にして「文字の獄」で迫害され、これは明朝政治の暗いところです。

明代の著名画家呉偉の作品「東方朔偷桃図」は、東方朔が西王母の桃を盗んで慌てて逃げる姿を描いています。彼の早足で奔走しながら振り返ってみる緊張状態、その頓挫しそうな状況、服や帽子の帯が風に舞う様子や衣紋線がすべて軽妙な筆致で簡潔に描かれています。この絵はシンプルに見えるが超脱の趣もテンションもあり、動的な美しさが生き生きと描かれています。

中国人物画は三代前からすでにあったが､漢代から段々盛んになってきました。昔は人物画に描かれる人は、主に忠臣孝子や乱臣賊子で、ほとんど善悪の教育に使われました。

三代から前漢までは、全て倫理を題材とした人物画でした。後漢から六朝は、仏教絵画が盛んになり、主に釈道人物の宗教画でした。唐宋やその前の人物画に描かれている人物は、皆ふっくらした四角っぽい顔をしています。唐宋以後、頬はすべて痩せて、三角形のように見えます。以前の人物画に描かれた人物は物腰が淑やかですが、その後は軽やかで小柄です。

帝王の仏教崇拝推進により、民衆も仏画を好むようになりました。蘇東坡は「論画以形似，見与児童隣。(画を論ずるに形似をもってするは、その見、児童と隣す。)」という詩句を残し、「形似」だけではなく、尚更「伝神」を追求した作品を褒めました。

絵画は彫刻と同様に、線、色と構図で生活中の典型的な人物、事件と風景を二次元空間に再現します。

その三、彫塑。これは造形芸術の一種で、彫刻とも呼ばれ、彫り、刻み、塑造といった三種類の製造法の総称です。芸術的に加工し、飾り物など可塑性のある物体に一定空間あり見えて触れる芸術イメージを創り、社会生活や芸術家の審美的な感受、感情と理想を表す芸術です。以下に幾つかの例を挙げます。

秦の始皇帝兵馬俑。1974 年、秦始皇帝陵の東に三つの大きな副葬の兵

馬俑坑が発見されました。その後、兵馬俑の発掘は次々に行われ、それを保護するために博物館も設置されました。三つの兵馬俑坑は「品」字形を呈し、総面積22780平方メートル、坑内に兵士と馬の実物大の陶器の陶兵陶馬は総計で7400体以上もあります。

兵馬俑博物館は中国最大の古代軍事博物館で、俑陣は発掘後公開されると、全世界を驚かせました。

1978年、フランスのシラク元首相は見学後、「世界の不思議なことはすでに7つあるが、秦俑の発見は世界の8番目の奇跡だ」と発言しました。兵馬俑の車兵、歩兵、騎兵は様々な陣に並んでいます。全体的に雄渾で逞しく洗練さもありながら、詳しく観察すると、顔つき、髪形、体つきと神韻は、体ごとに造りが異なります。耳を立てている陶馬も、口を開けて嘶いている陶馬も、静かに立てている陶馬もいます。みな芸術的魅力溢れる秦の始皇帝兵馬俑です。

秦俑は、ほとんど青銅兵器を持っている。弓、弩、鏃、ベリリウム、矛、戈、殳、剣、シミターと鉞があります。青銅兵器は防錆処理をしてあるため、地下2千年以上に埋められていたが、今でも新品のようにピカピカで鋭く、当時の実戦兵器です。秦俑は繊密な甲片を綴った鎧を着て、胸に彩線の結び目が彫刻されています。頭の上に長冠を被っている軍吏は、武将より多い。秦俑の顔つき、太り具合、表情、眉、目と年齢がそれぞれ異なります。

秦俑の発掘により、秦の絶頂期の八百裏秦川（陝西関中平原）の輝きを再現しました。また、秦の兵馬俑の塑造が現実を踏まえての創作、芸術手法がきめ細かくて明るい秦代写実芸術の完璧な体現です。大きな体、均等な割合、生き生きとしたイメージ、真に迫る形相、千人に千の顔、整然としている軍容、雄大な気勢は見る者を圧倒するほどです。

中国の2千年余りの統治モデルを展示する兵馬俑は、芸術史的に非常に高い価値を持っています。兵馬俑は彫刻芸術の宝庫で、2000年以上も世に埋もれた中国美術史上の重要な1ページを見せました。中華民族の輝かしい古代文化に華を添え、世界芸術史にも輝かしい1ページを増やしました。

敦煌莫高窟。十六国時代の前秦時代から作られ始め、その後十六国、北朝、隋、唐、五代、西夏、元代など歴代の建設により、巨大な規模になった。今では洞窟735尊と、壁画4.5万平方メートル、彩色を施した泥質2415

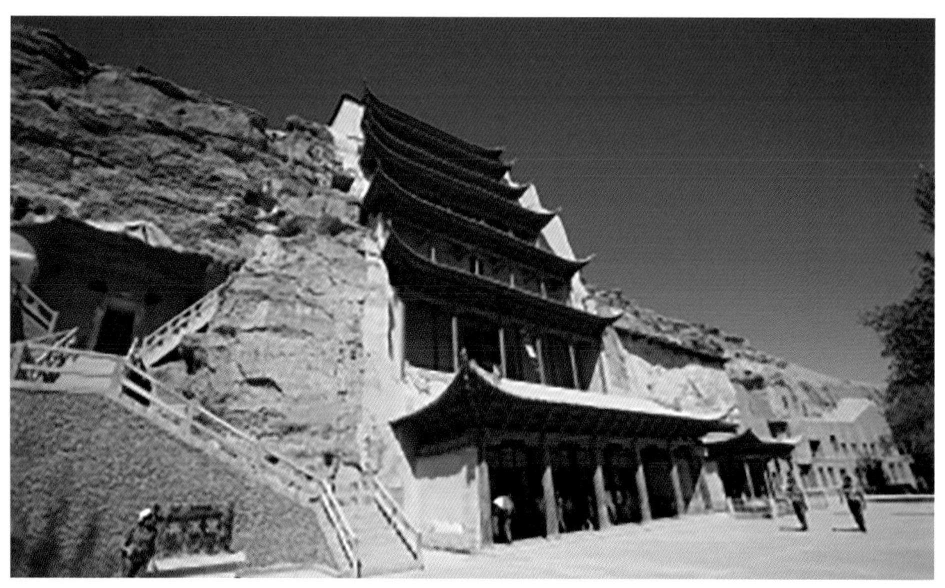

尊があり、人類の貴重な文化財の一大宝庫で、なお世界に現存する最大規模、内容の最も豊富な仏教芸術の一大聖地でもあり、世界文化遺産に登録され、中国 4 大石窟の一つです。

莫高窟各窟はいずれも洞窟建築、彩塑、絵画の三位一体の総合芸術です。一番大きい洞窟は 200 平方メートル、最小者は 1 平方メートル未満です。洞窟の形状で見ると、主に禪窟、中心塔柱窟、仏龕窟、仏壇窟、涅盤窟、七仏窟や大像窟などあります。

泥塑と壁画の結合による彩塑は、主に仏、菩薩、弟子、天王、力士像などあり、丸彫り像、高浮き彫りや浮き彫りなどの形をしています。丸彫り像や浮き彫り像は、第 96 窟と第 130 窟の 2 つの大仏及び第 148 窟と第 158 窟の二大寝仏が石胎泥塑で、ほかはすべて木組み構造です。

仏像は中央に安置され、両側に差し控える弟子、菩薩、天、力士が少なく 3 体、多くて 11 体あります。第 96 窟には、35.6 メートルの弥勒の座像が一番高く、10 センチ余り位の小さいのもあります。

これらの塑像は精巧で真に迫って、豊かな想像力や造詣の深さを反映し、壁画と互いに引き立ち一層美しく見えます。絢爛多彩な壁画に描かれた様々な仏教の経典物語、山川風物、亭台楼閣などの建物画、山水画、花卉図案、飛天仏像や当時労働人民の様々な生産場面などは、十六国から清朝にわたる千五百年余りの民俗事情や歴史変遷の芸術再現です。

これらの作品は、雄渾で勢い良いものや鮮やかで美しいものあり、異なった時期の芸術風格と特色を体現しています。石窟中の飛天壁画が特に印象的で、絵に描かれた飛天は仏陀と天に仕える神で、美しくなまめかしく、蓮の蕾を手に持ち、歌い踊りながら琵琶を背後で弾いて広大な空をしなやかに舞うその美しい姿を世の中へ披露しています。

敦煌石窟には非常に豊富な建築史資料があります。敦煌壁画は十六国から西夏まで描かれた夥しい数の多種多様な建築画で、寺院、城壁、宮殿、宮城、草庵、穹廬、帳、帷、宿屋、旅館、畜殺場、烽火台、橋、刑務所、

墓地などあり、中庭を囲むレイアウトの建築群も、単体建築もある。壁画には多種多様な建築部品や装飾品、腕木、角柱、建具や建築施工図なども描き残されています。

千年にわたる建築イメージ資料は、中国建築史を展示しました。貴重なのは、敦煌建築資料の精華が北朝から隋唐まで四百年間の建築物の様相を反映し、南北朝から盛唐までの建築資料の空白を埋めました。また、違う時期、異なる様式の 800 座余りの洞窟建築、五座の唐宋木組み構造の窟檐及び石窟寺の舎利塔群は、すべて古くから今も残る貴重な建築実物の資料です。

「大漠孤煙直，長河落日圓。（大漠 孤煙 直なほく，長河 落日 圓まどかなり。）」という詩句で描いたように、蒼茫の砂漠で、無数の知恵がきらめいています。ゆったりとした駱駝の鈴の音が、千年の歳月の流れの音を耳に届けてくれるようで、世間に最も美しい幻想的な時空と漂い続ける余韻を残してくれました。

その四、建築。建築美は独自の特徴があり、建築体積、配置、割合、空間アレンジ、形状構造や様々な装飾、色彩、壁画、浮き彫りなどにより韻律と情緒を作り出しながら、感情と境地の表現にも重点を置いています。

中国の古典庭園は、南方の蘇州庭園をはじめ、雕梁画棟、曲廊通幽、園の中に園あり、風景の中に風景あり、粉壁竹影、山石水色、動静結合、西廂待月、東籬採菊など夢のような境地美をアピールしている。材料的には主に煉瓦と木材の構造となっています。

西洋は違います。ヨーロッパを例にすれば、主に石を建築材料に、高大さと雄渾さを強調します。特に文芸復興以降、華麗なゴシック建築スタイルは、数世紀にわたって盛んだったです。

例えば、古代ギリシアの建築は、各部分の割合を推敲に推敲を重ねてつくられました。古代ローマの建築は、巨大さと豪華さの表現に力を入れています。ゴシック建築は、空を高く飛ぶイメージと空間の想像力、曖昧さの表現を追求します。文芸復興期の建築は、肯定感とリズム感を求めます。何れも形式美の表現を重視すると同時に、各時代の主な思想潮流を反映しています。

中国の古代建築は、数千年にわたり天人合一思想が様々な建築の発展過程で体現され、建築と自然の調和と融合を促進しました。建物の立地を重視し、建設時土地柄に合わせた方法を決め、山勢に沿って建物を作り上げます。この思想は特に風水の重要性が強調される庭園の建設に具現されて

います。

また、様々な建築は明確な礼制思想を反映しています。階級、形状、色彩、規模、構造、部品などがすべて厳格な規定あり、ある程度で建築形態を整えたが、その一方、建築の発展を制限しました。

中国の古代建築の中で最も代表的なのは皇室と宗教建筑です。例えば、北京の故宮、頤和園など。前者は中国の歴代王朝の皇権意識や、大一統という思想を表現しました。後者は、整然たる建築により皇室の気概を反映した。何れも外形美を表現しており、現代の意識追求も十分に表現されています。

建築自体は動かず、静的ですが、形を変えることにより流動感が生まれ、音楽の静態のように、リズムがあり、メロディも序曲も高潮も尾声もあります。ドイツの作家ですゲーテが語ったように、建築は凍結した音楽 のようなもので、建筑物が人間への癒し効果が音楽効果に近い。また、ベートーヴェンも建築 は凝固した音楽で、音楽は流動する建築ですと語ったのです。

中国で最も代表的な建築を以下幾つか挙げます。

故宮。西暦 1406 年に建てられ、かつて 24 人の皇帝が住んでいたところです。明と清二つの王朝の皇居で、世界に現存する最大規模で、最も完璧な形で保存された木構造の宮殿式建筑です。建築物群は全体として金碧に輝き、典雅で落ち着きがあり、荘厳にきらびやかに美しく、堂々としており、極めて壮観です。平面配置からみても、形式上の雄大かつ威風堂々たる姿からみても、比類のない傑作といえます。

北京城の中央に建てられ、しかも北京城の中軸線上に位置しています。三大殿、後三宮と御花園は皆この中軸線に位置しています。中軸線上にある宮殿の両側には、多くの殿宇が対称的に立ち並び整然としています。宮城の四隅には小さくて精巧な「角楼」という隅櫓がきれいに建てられています。宮城は、周りにある高さ 10 メートル、長さ 3400 メー

トルの宮壁に囲まれ、また城壁の外には幅 50 メートル余りの堀端があります。

故宮はきれいで立派な城門が四つあり、北門に面して土や石で人工的に造られた景山は、満山松や柏が林になっています。全体の配置からすると、景山は故宮建築群の障壁と言えます。

故宮は、全体として天下に君臨することとこの上もない権力を象徴し、「天子以四海為家，非壮麗無以重威（夫れ天子は四海を家と為す。壮麗に非ざれば、以て威を重くする無し。）」という気前を見せている。現代人でも、故宮を見学後、「独上高楼，望尽天涯路（一人で高楼に登って、空の向こうまで見通そう。）」という詩句に共鳴し、豁然として心がひらけます。

頤和園。清朝の皇室庭園で、山紫水明で美しい。北京の西郊に位置する北京の「風水宝地」で、自然環境が美しく、江南庭園の設計手法を取り入れて作られた大型山水園林です。主に万寿山と昆明湖の二つから構成され、水面が４分の３を占めています。園内の建物は、仏香閣を中心に、百棟余りの観光スポット、大小の庭 20 余りがあり、なお、その間に亭、台、楼、閣、廊、高殿などの異なる形式の建築が散在しています。庭は古樹名木に覆われ、そのうち、仏香閣、長廊、西堤、石舫、蘇州街、十七孔橋、諧趣园、大戯台などはすでに家ごとに知れ渡っている代表性的な建物となっています。

頤和園は、伝統造園芸術の集大成です。万寿山と昆明湖がその基本構造で、周囲の山水環境を借景にした中国の皇室庭園で、壮大且つ華麗で自然の趣も溢れるほどです。「雖由人作、宛自天開」という造園準則を高度に体現し、「皇室園林博物館」と呼ばれています。

庭園は全体として芸術的構想が精巧で、自然との調和も取れて、国内外の庭園芸術史で重要な地位を占め、世界珍しい庭園芸術の傑作です。

国家体育場—鳥巣。2008 年の北京五輪期間中の主会場で、2001 年にプリツカー賞受賞者ヘルツォーク、ド・ムーロン及び中国の建築家李興鋼などの協力により設計、完成された巨大型体育場です。構造は地味で落ち着きもあり、その形態を遠くから見ると、命を育む「巣」のような、揺籃のような人間の未来への希望を託しているようなものに見えます。

素晴らしいオリンピックは、鳥巣競技場の雄大な構造と互いに引き立て合い、世間の目を奪います。鉄骨フレームで椀状につなぎ合わせ、まるで「鳥の巣」のような外形を作り出されています。現在、世界最大径間の鉄骨構造で造られた体育建築の一つで、空間構造が斬新で建築と構造が一体となり、独特な美しさで強い迫力と視覚的な衝撃力を与えてくれます。

建物は流体力学の原理を用いて、すべての観衆が自然光や通風を享受できるよう確保し、自然の調和美を充分に体現しました。運動場は、先端の省エネ設計と環境保全措置を採用しま

した。例えば、良好の自然通風と自然採光、雨水の全量回収、再生可能な地熱エネルギーの活用、太陽光発電技術の応用など。先進的な環境保全措置を多く講ずることにより、鳥巣は、名実ともに大型「緑色の建物」に仕上げられました。

中国の夢は「鳥の巣」から飛び立ち、逞しい翼を広げて空の果まで飛んでいきます。

北京の「胡同」(路地)。胡同は、モンゴル語の井戸と同じ発音で、当時の北京住民の飲料水は井戸に頼っていたため、井戸を取り囲む家々が連なる居住区の代名詞となり、さらに路地の代名詞にもなり「胡同」という言葉が生まれました。

1267 年の元朝の大都建設に始まるこの呼び名が踏襲され、長い歴史の産物で、今まで 7 百年余りの年月を経てきたが、依然として元時代の「魚骨式」配置となっています。

北京には「有名な胡同三千六 、無名の胡同は牛毛の如し」という諺あります。胡同がほとんど東西に走り、幅が大体十メートルを超えないものです。胡同の両側のほとんどの建物は四合院で、大小多数の四合院はすきまなく並んでいて、その間の通路は胡同です。

胡同は大体繁華街に近いが、往来する車馬の激しい騒ぎがなく、賑やかながらも 落ち着きあると言えます。その灰色の壁や瓦は、更にある一種の民俗的な色彩の体現で、北京の一大特色でもあり、なおさら一軒一軒の民俗風情博物館です。

北京の胡同の中で、随所見られる青灰色の煉瓦は、一見ごく普通ですが、その一つ一つは千年の年月を経て、数百年の風雨に耐えてきたこともあり、歴史的変遷を記録しています。胡同の屋根で小草が生い茂り、廊下にはペンキ、斑やキズだらけでながら、その奥深い美しさや国家の首府としての風韻や風格が失っていないと言えます。

チベットポタラ宮。ラサの西北の瑪布日山上に位置し、山体と融合しています。高聳える宮殿はその雄大さを誇示しています。赤い宮壁と黒い宮壁が隣り合い、宮殿の天井が金碧に輝き、強烈な芸術影響力を持つ名高い宮殿式建築群で、チベット族の古建築芸術の精華です。

また、宮中には無数の宝物が収蔵され、芸術の殿堂だと言えます。チベットの建築芸術の貴重な財産で、唯一無二の雪高原の人類文化遺産です。

（二）聴覚芸術

音楽は聴覚芸術として、一種の流動する表現芸術で、リズム、拍子、メロディ、ハーモニー、旋法と調性、多声と楽式などにより、作者の思想と感情や韻律をうまく取り合わせて素晴らしい音楽を創りあげ、人を狂わせたり感動させたり、落ち着かせたり興奮をさせたり、喜びや安らぎを与えます。音楽は、鐘の音、馬蹄のひびき、鳥の鳴き声、松の声や川のせせらぎなど、こういった自然界、人類社会の労働生活上の様々な声をイメージしたり、または象徴法や比喩法を用いたりして静かな物事を表現します。

リズムは物事の運動形式の一つで、リズムの対称は自然なものの模倣により形成します。運動周期性の変化リズムは、例として波の起伏、植物の生長、足音、脈の伸縮などがあります。

リズムに敏感に反応するのは、人間の心理と生理の本能により、命の表徴です。あらゆる作業において独自の労働歌があり、すべての運動はリズムがある。人間は、体力周期が 23 日、感情周期が 28 日、知力周期が 33 日、皮膚細胞周期が 23 日というリズムを持っています。要するにリズムは、生命が非生命と区別する上での根本的な特徴です。

実際、芸術的なリズムは科学的に言えば法則で、つまり芸術と科学の内在的な統一性です。規則的な性質を持つ物事には、必ず科学法則が働いています。リズムがある物事には、必ず一定の法則が存在します。

法則とリズムとも、大自然の進化の拍子で、音楽、舞踊、建築や詩歌の創作面において特に使われるが、他の芸術分野にもその姿が見られます。リズムは芸術の最も基本的な特徴の一つです。

音楽の最大の特徴はその表現範疇の広さで、控えめな感情や激しく起伏する気分、例えば熱烈なのか、落ち込んでしまうのかなど、そのため音楽は最も包括的な芸術で、最も人々を激励できる芸術です。

音楽は数理基礎とも一致し、例えば音楽の正弦波の周波数は電子波動周波数と一致し、二者とも階層化の相似性、物質レベルの進化の相似性、科学と美学の内在的な統一性を持っています。

管弦楽は黄金分割点で奏した音が最も美しく心地よい。最も代表的な音楽の例として、1804 年ベートーヴェンが闘病中に作られた「英雄交響曲」が挙げられます。それはベートーヴェンの最も有名な代表作の一つで、厳粛で喜びの気持ちがこの作品を貫いて、深く真摯な感情を終始保ち、強いロマンチック的な雰囲気を醸し出しています。まさに英雄的な性格を表現する作品で、また一番強い影響力のある管弦楽で、気勢が大きく、芸術的には一里塚のような作品です。

（三）言語芸術

その一、文字、文学。

文学は音声芸術で、言語、パフォーマンス、造形などの手法によって典型的なイメージを作成し社会生活のイデオロギーを反映します。

文学音声の特徴は、視覚的に、聴覚的に生き生きとしたイメージを呼び起こし、以心伝心的な芸術創造及び芸術イメージにより、読者に広範な思想空間と再創造の幻想力を与えて、詩文の中に人も絵もある境地に達します。例として中国で有名な「四大名作」の『西遊記』、『紅楼夢』、『三国演義』、『水滸伝』が挙がられます。

その二、詩歌。

詩は心の芸術でもあり言語の芸術でもあるため文学中の文学になります。詩は人々の精神生活を豊かにし美化する使命を持って、世界を展示し、心を表し、真理を示唆します。さらに天地の道に戻り、自然美の中に溶け込み、感情と美感を表現し、共感を起こします。

詩歌は他の芸術タイプや文学ジャンルと異なる本質的な特徴があり、それが強烈な主観的な感情性、写象性、弾力性、音楽性などの面で表されています。

例えば、屈原の「離騒」は、全文が 370 句、2500 字余りで構成されています。中国詩歌の手本で、気迫が大きく叙情的、独特な発想で、古典詩歌の中で一位を占める民族文学の誇りです。

曹操の「短歌」（その一）。

對酒當歌。人生幾何。

譬如朝露。去日苦多。

慨當以慷。憂思難忘。

何以解憂。唯有杜康。

青青子衿。悠悠我心。

但為君故。沈吟至今。

呦呦鹿鳴。食野之苹。

我有嘉賓。鼓瑟吹笙。

明明如月。何時可輟。

憂従中来。不可断絶。

越陌度阡。枉用相存。

契闊談讌。心念舊恩。

月明星稀。烏鵲南飛。

繞樹三匝。何枝可依。

山不厭高。海不厭深。

周公吐哺。天下歸心。

この詩は、雄大な気勢、深遠な構想に独特な文才で、広く伝わっています。

陶淵明の「桃花源記」は、行文流麗で言葉遣いが美しく、思想が深い。読者へ、ロマンチックで理想的、公平な「桃花源」社会を創り出しました。

王王之渙の「登鸛鵲楼」。

白日依山尽，

黄河入海流。

欲窮千里目，

更上一層樓。

作者は楼に登って遠くを見渡すと、夕日が西の山々に沈もうとして、黄河の流れは勢いよく海へ流れ込みます。遙か彼方まで見極めようと思い、更にもうひとつ上の階へあがるべきだと深い哲理を含む詩です。

李白の「月下独酌」（一部）

花間一壺酒　獨酌無相親

舉杯邀明月　對影成三人

月既不解飲　影徒隨我身

暫伴月將影　行樂須及春

我歌月徘徊　我舞影零亂

醒時同交歡　醉後各分散

永結無情遊　相期遥雲漢

この詩は、世俗に同調し濁った世に迎合したくない李白の強い孤独感を表しています。また、手酌で、一人で飲んで楽しむ李白の俗世を超越した心と、超然たる性格を見せている。美はこちらから生まれてくます。

（四）舞台芸術

その一、演劇

演劇は総合芸術で、文学、音楽、舞踊、美術などの様々な芸術要素から構成されています。

演劇の特性は、演劇の形態、機能、手段、形式などから構成されています。

俳優の演技は、作品を理解した上での感情の再現で、脚本役の再創造でもあります。

近代の演劇は、二派に分かれます。一派は俳優が演技をしなければならない、完全に役に成りきったら、常にセフルコントロールできると主張する演劇派。もう一派は、俳優がその役柄に夢中になり、混然一体に溶け合い、深く体験すべきだという体験派です。

実際の演出では、良い俳優は、演技派になったり体験派になったりします。そして人を感動させ、心の中でキャラクターを作り上げ、その役を上手く演じることができます。仮に物語の始まりから、発展、高潮、終わりまで、俳優がずっと「表現派」又は「体験派」だったら、演出効果はきっと考えられない、または狂気じみで、ばかばかしい、筋が通らない、美的効果は期待できません。良い俳優は、演劇と体験の高度な融合を通じて役を演じます。

その二、舞踊。

舞踊は古い芸術で近代芸術でもあります。太古の時代、 舞踊は狩猟、戦争などの活動を含む人々の生活に客観的にかかわっていたが、後に具体

的な行動の模倣から感情の表現へ、振付動作とリズム、誇張と変形といった身体言語で人間の精神、感情や時代の意識潮流を表現するように発展してきました。

バレエは想像的、叙情的な表現です。舞踊と音楽は切っても切り離せない関係にあり、視覚的なイメージと人体イメージは一体となって、人々の心を揺さぶます。

また、舞踊は流れている彫刻で、彫刻は静止している舞踊です。舞踊と彫刻とも再現芸術で、思想や感情の表現でいずれも包括的、洗練的、典型的という特徴を持っています。

その三、映画。

映画は総合芸術で、各芸術の表現手法を集大成して、深く生々しくリアルタイムに生活を反映し、審美的な娯楽の提供と公民教育の推進を図ります。映画は、演劇よりもっと大きな空間を創り出すことができ、表現力が最も強い芸術です。

三、芸術美の構造

芸術美は多レベル、多層構造の美しさで、本文では論じ尽くせないほどあります。また、絶え間なくうまれ、次から次へと現れてくる美しさで、芸術家によっていつでもどこでも生まれてくる芸術美です。

各レベルの芸術美は、異なる要素で構成され、それぞれ異なる機能に対応しています。

我々は、各レベルの芸術美の構造性と機能性をまじめに研究しその真実を追求すべきです。しかし、自然と自然美が芸術美及び設計美の源泉ですことは忘れていけない。芸術家の責任、目的、テンション、そして永遠のアポロとディオニソス的な精神は、天然美の発見や「自然」の再生のため、

人類に幸福をもたらすためです。この崇高な義務は、永遠に変わりはしません。

四、芸術の美と醜

芸術の美と醜は相対的で、いずれも条件付きで自己組織の進化中で過程性もあります。美は、美しい、比較的に美しい、もっと美しい、最も美しいという過程あり、醜も、醜い、比較的に醜い、もっと醜い、最も醜いという過程あります。そのため、美と醜はどちらもその発生、進化、発展の過程があり、系列的構造になっています。

システム事物は、美が極まれば醜に転ずることがあり、逆に醜が極まれば美に転ずることもある。中国の古い哲学から言えば、次の通り理解し説明ができます。美と醜は相反しながらも互いに成立させ合います。醜と美は相対的で、その観察角度、評価方法、鑑賞力にも左右されます。

芸術の美と醜は条件付きで、絶対的な芸術の美と芸術の醜がなく、認識論の範疇に属します。一方、自然の美と醜は、哲学の本体論に属します。

ニーチェ（Nietzsche）は『偶像の黄昏』の中でこう述べました。美について、人々は自分の考えを完璧な標準としています。そして人々は自己崇拝に陥ってしまう…人々は他のものを鏡として、自分のイメージをきれいに反映してくれるものはすべて美しい…醜は破壊の象徴と兆候…あらゆる暗示、疲労困憊、重圧、衰老、倦怠、痙攣又は麻痺を含み、いかなる堅苦しい表現、特に死体の腐敗臭…、人々は何が嫌いなのか。間違いなく自分の衰老などをイメージさせるものが嫌いです。

17 世紀スペインの画家ベラスケス（Velázquez）の『教皇インノケンティウス 10 世の肖像』、19 世紀ロシアの画家レーピンの『大祭司』などは、「醜」を主題として表現し人々に形式的に醜のイメージを与えるが、風刺、皮肉、批判、お茶目などの手法で芸術化の「醜」を通じ、「美感」を人々に与えます。人々が喜びを感じるとき、醜悪は美善になることがあります。条件の転換と手段は重要です。

例えば、文芸作品『喬老爺上轎』、『七品胡麻官』の風刺とユーモア。

悲劇、漫才と漫画はすべてこのような特徴があり、美と醜を結びつけるものです。

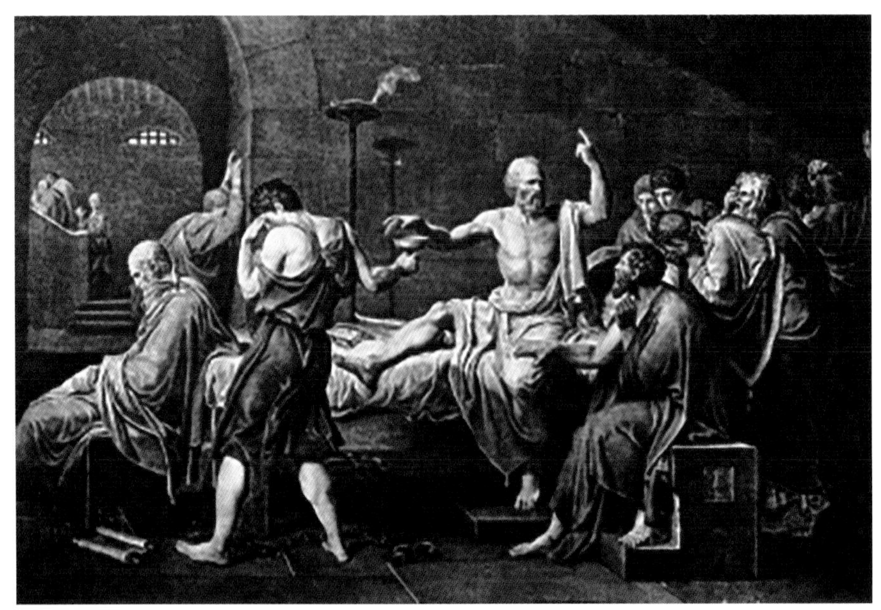

五、悲劇

悲劇について、エンゲルスは、歴史の必然的な需要とその需要が満たされない場合、二者間の悲劇的な衝突だという言葉を残しました。

魯迅は、悲劇が人生の中に価値のあるものを壊して人に見せることと語りました。

彼らの言葉をこう理解できると思います。歴史の必然性と客観的に現れる偶然性間の衝突で、衝突が激しいほど、イメージが崇高になります。仮に典型的な環境の中での典型的な人物なら、その悲劇は伝世傑作となり、崇高美の集合となり得ます。

悲劇は理性と感情の衝突でもあります。たとえば、フランスの名画『ソクラテスの死』は、人に同情と悲しみの感情を呼び起こして人々の心を浄化してくれます。中国式の悲劇として、魯迅の『阿Q正伝』、『竇娥冤』、曹雪芹の『紅楼夢』などが挙げられます。

六、喜劇

喜劇は皮肉喜劇、叙情喜劇、諧謔喜劇や茶番喜劇などのスタイルに分かれます。滑稽、ユーモアや人に傷付けない程度の醜悪と偏屈で、生活中の醜、美や悲しみなどを表現し、醜や滑稽なことを笑わせたり、正常な人生と美しい理想を認めてもらったりします。

諺の通り、最後まで笑える人が一番美しく笑えます。

マルクスは、古い生活スタイルを墓地に埋葬すれば、残りの人生が最後まで喜劇だといいます。

マルクスのこの言葉が公平、正義、搾取のない共産主義社会を意味し、当然人間の大喜び、究極の美だと理解すべきです。

一般的に言えば、醜を美に、一般の美を究極の美にするには物事の条件付きが鍵で、この条件づきは常用の「倒錯の真実」手法です。

こうすれば、ユーモア、滑稽や風刺など、演劇的効果を収めます。「誠実の中の偽善」と「偽善の中の誠実」の巧みな結合です。

また､誇張は演劇力を強めることができます。たとえば､チャプリンの『モダンな時代』。

華君武が抗日戦争中と解放戦争中に創作した様々な漫画は喜劇性豊かな作品で、その芸術美は人の心を大いに鼓舞した究極の美です。

七、優美と崇高

人間は優美なものを楽しむと心が晴れ晴れとし、楽しくなる。例えば、長袖善舞、美しい舞姿、皎々たる月光、さわやかな風、空が晴れ風が柔らかい、鳥がさえずり花が香る、柔媚、静かさ、優雅な美。

崇高とは、心を震撼させるほど壮大な景観のような雄大なものに対して抱く意念で、私たちに無限のエネルギーと信念を与えてくれます。

崇高は、一般的に激動、剛健、雄大、魂を奪われるほどの美、荘厳雄大な倫理道徳の美を表現します。

カントによれば、崇高が人を感動させます。優美が人を夢中にさせます。

カントは、崇高の特徴が無形式、無規則、無制限だと考えます。しかし、実際には崇高が私たちに与えるのは、偉大な精神力、ハイテンションな美、そして驚嘆、崇敬の念です。

また、カントによれば、崇高は一般的に数学的崇高と力学的崇高に分けられます。数学的崇高は、体積がその大きさの限界に達し即ち物理的な空間の崇高で、力学的崇高は神聖な力で、稲妻、雷鳴のようです。

現実の中での崇高は、主に人間性と道徳心の両方の偉大で輝かしいイメージにあります。例えば、屈原、司馬遷などの偉大で輝かしいイメージ、文壇巨匠の魯迅の偉大で崇高なイメージ。

また、抗日戦争中、犠牲の際に「最後の勝者は中華民族だ」と大声で叫んだ東北抗日聯軍の柳靖宇将軍、趙一曼、「狼牙山五壮士」などの例が挙げられます。

ヘーゲルによれば、「崇高は理念が形式を圧倒すること」で、崇高は絶対的な力の表れです。彼のこの言葉は、極めて深い意味を持っています。

要するに、芸術美は、語り尽くせない、数え切れない系統事物で、随時随所生まれ、随時随所消えていきます。偉大な芸術品だけが、長く世に残り代々伝わっていきます。

第九章 設計美

設計美学はシステム美学に属する実践です。

設計美学は芸術美の産業化、情報化、ネット化に属する。

設計美のプロセスは発想（理念、欲望、激情）－実践—芸術品です。

一、設計美の原則

設計美は、自然美と共存できる現実世界を創り上げました。これは、無限の魅力を持つ設計美の大きな意義があるところ。しかし、その基本的な設計思想と理念は、依然として美学の根本原則です。それは多様性の統一、差異性の融合、自己組織の現れの全体最適化、美化などです。

具体的に言えば、良質の材料（軽さ、薄さ、柔軟さ、柔軟さか堅さ）、最適化技術（数学原理、つまりにアルンハイムの「力の構造」に合う）を利用した最も美しい構造（最小作用量原理に合う）の設計です。

二、設計美の階層性

美学史的に見れば、芸術品の設計から生まれる生産の性質と傾向は下記３つの時期に分けられます。

(一)「模倣」と「迫真」の時期

アリストテレスは、模倣が人間と動物の識別標識の一つで、人間の一つの天性によると言います。

代表例として、古代ギリシア時代の彫刻、中世の建築と文芸復興期の人文主義的絵は、何れも迫真性の追求と自然の模倣を通じて、自然と心の調和を目指したものです。自然と宗教を畏敬し、心身のバランスを整えます。迫真性が高いほど似ているが、芸術品の設計と生産も、「模倣と迫真性」という方式で行われます。たとえば、古代つくられた様々な俑や数多くの壁画が挙げられます。

(二)「意境」の時期

ロマンチックな音楽、演劇及び現代のアニメを代表する芸術品は、現実主義の範疇を超えて、未来の幻の世界に向かって進んでいます。しかしこれは当代で未完成で、芸術品と非芸術品の境界は消えつつあります。設計美はすべての業界に現れ、美学史は設計美が .「無」から「有」へ、「有」からあらゆる物事が美しく設計されるような歴史になっていきます。未来の一時期は革新の時代になります。例えば、DNA から生物、植物、動物にわかる科学技術設計美。また「一帯一路」、世界のインターネットの設計美、そして中国の宇宙空間実験室なども、絶妙な設計美です。

ヘーゲルは、芸術の発展が象徴型、古典型とロマン型を経験したと考えます。象徴型は外在的相似性を、古典型は内在と外在の調和や統一を、ロマン型は内在的要素が物質化したものを追求します。

ここで述べているのは境地の時期で、古典からロマン型への過渡期でもあります。模倣から再現は、依然として深く発展していくのです。

（三）あらゆるものは設計美

美はあらゆるものに現れ、あらゆるものに美がある時代になります。

カントは、世界には二つのものが人の心を揺り動かすことができると言います。一つは私たちの心の中にある崇高な道徳基準で、もう一つは私たちの頭上に輝く星空です。

前者は現実美、社会美、道徳美、設計美で、後者は自然美、原始生態美、天体美、宇宙美です。

歴史的に言えば、20 世紀 30 年代ドイツのバウハウス学院が出版した現代工芸設計理論の著作は現代設計芸術の経典的著作とされ、中に具体的な設計理念として下記 3 つの基本点を提出しました。

第一、技術と芸術の新しい統一

第二、設計の目的は人のためで、製品のためではない。

第三、設計は自然と客観的法則に従って行わなければならない。

こうすれば、芸術のための芸術的な自己表現やロマン主義の反伝統主義を克服し、芸術設計の理性化や科学化を促進する面でも重要な役割を果たせました。

1928 年、この派のトップデザイナーですミースは「少ないことは豊か

なこと」を理念に、「バルセロナチェア」をデザインした。その斬新なデザインにより、チェアの外観はシンプルで落ち着きもあり、単純明快で好評を博しました。やがてこの理念の影響で、フォルクスワーゲン会社は、「ビートル」という自動車をデザインしました。その独創性によって受けが大変良かったです。

次に、コカ・コーラ瓶の設計を見てみましょう。アメリカ工業デザイナーのレイモンド・ローウィは、最も美しい曲線は売上の上昇を示す曲線ですといいます。彼はコカ・コーラの瓶からコンコルド飛行機の客室の設計にわたり、多くの奇跡を起こしました。その洗練性、便利性、経済性、耐久性に優れた設計は、省エネ、省時間の原則を貫いてい

ます。

更に、アメリカのデザイナーヘンリー・ドレイファスの例を見てみましょう。彼は「内から外へ」という設計原則を提起し、研究を重ねて専門書『人体測定（The Measure of Man）』を出版しました。彼が網羅したデータは、他のデザイナーにとって準ずるものになりました。

現代的設計芸術は、すでに一般製造業、物流業、サービス業、金融業から生活用品類、生態環境設計類、都市および地域環境生態の設計など、様々な分野に進出してきました。設計美は社会生活、仕事及び環境のすべての領域に浸透してきました。

人類の歴史から見れば、人類社会が誕生して一万年ぐらい、人間は自ら食糧供給問題を解決しました。これは食品の偉大な革命で、植物の設計（育成）、改良や接ぎ木とは密接な関係があり、人類が行った一回目の設計革命、設計美の革命です。

二百年前に、人間は同様の方法で工業革命を起こし体力や社交的問題の解決を図ったです。これは人類が行った二回目の設計革命と進歩です。今

私たちは、人間の知能の伸びと発展上の問題を解決しようとしてデジタル文化革命とインターネット革命を進めています。物事すべては農業設計美、

工業設計美とインターネット設計美に密接不可分の関係にあり、何れも設計美の成果です。

当代中国の改革はまさに設計美の社会化、つまり全体的な設計美の階層化、構造化、社会美のシステム化です。全体的な社会美の設計は不可欠で、全体的な設計をすれば、美、美の創造及び社会の調和美を選んだことになります。重要なポイントは、革新、発明、設計美です。革新と発明美がなければ、他のものの発展は語るすべがないです。

設計美の実現の具体的方法は下記の通りです。

1、小さいものが美しいもの。最小作用量原理の設計への応用。

2、少ないことは豊かなこと -- 無為にして為さざる無し。最小作用量原理と道家思想の融合と設計への応用

3、総合的に吸収と利用。全体最適化思想の設計への応用。

4、想像と革新。システムの自己組織化の出現法則の設計への応用。

5、要素、システム、関係。明確かつ有効な設計方法。

実際の設計で、上記した方法を総合的に利用し、最も美しく優れた効果が得られます。

設計美は現代の主流で、設計美は至るところにあり、ないところはない

です。芸術美は設計美の特殊な部分です。当然、設計美が芸術美の一部だと言うこともできます。その違いはというと、一つは物質美、立体美の三次元世界を創造するが、もう一つは感情、意思、想像と激情あふれる「似ているようで似ていない」のような幻の精神世界を創り上げます。これらのものはすべて人間が真、善、美に対する需要で、人類が美への進化階層での需要、高級か低級かの差も、優雅か低俗かの差もないです。

社会の調和美、人倫道徳美は、設計美の究極の目的です。

第十章 おわりに

ここまで美学の全体の歴史を議論し、また某かの予想などを前提に美学界のホットトピックと根本問題に解答した。美とは何か、美感の構造とレベル、美の中身、美の法則、美の構造とレベル、国内外の美学研究の比較、自然が美しいなら人間もそれが美しいと思うのが何故か等など。概して下記の通り纏めます。

一、古代ギリシアの貢献

古代ギリシア人は、人類に思想と美学的思考を持たせました。その後、人間は科学技術を発展させ、これらの思想に翼をつけて、社会の発展を加速させました。古代ギリシア人の思想は依然として輝いています。これは人類が誕生して以来、最大の奇跡です。

中国人が人類への貢献は倫理道徳だが、農耕文明による封建的な道徳で、

現代社会科学、美学、科学技術との繋がりがあまりないため、中国人が時代遅れになったです。これも一つの奇跡です。しかし、何れも人類社会システムの進化の分岐の結果で、必然性の中の偶然で、究極の美の階層化の現れです。

二、真、善、美の統一性

真があるところに必ず美があり、美があるところに間違いなく善があり、善は美の文化社会での現れです。

何故かと言えば真、善、美は、社会の進化と発展にとって合目的性を持つからです。そして更に最小作用の原理と調和美の変分方程式を見てみましょう。

$$\delta\int_{p_1}^{p_2} mvds=0 \Leftrightarrow \mathrm{H}\ ,$$

この変分方程式は非常に美しいです。

左は最小作用の原理で、省エネ、省時間を表しています。

右は調和と美で、調和美を表しています。中間は二者をつなぐ数学記号で、数学が物理学、哲学と美学を調和させ有機的に統一していることを示しています。美は、方程式の両側にあるものが対称的、協調的、秩序的、簡潔にあり、そして最も美しい形態にあります。数学、物理と哲学、美学の調和美及びそれらの内在的深い関係に生じる美を明らかに示しています。

この方程式は、科学的に真、善、美の高度融合の表れで、宇宙調和システムの究極の美、人間社会の論理の大善と自然論理の大真の統一を表しています。美を裏付けただけでなく、善も確かており、しかもいずれも「真」を基礎としたのです。

この方程式は、その究極融合と高度な調和性により、下記の通り非常に高い実用性、実践性を有します。

その一、それで計算して、最も良いもの、美しいものを設計できます。

その二、それを活用して、過去の物事の美しさを見直し、より美しいものを作り上げます。

その三、美本体の量化。美学史における「美」の量化は、理論でも実践でも大きな飛躍で、非常に深い意味あります。

また、ここまで科学（数理化など）と人文科学の内的統一性及び物理学、数学、美学が自然進化途中での一致性を何度も言及しました。これはきわめて重要な課題です。私たちはこの方向に向けて努力しなければならないです。これは科学と芸術の目指す方向です。

人々は必ずこの変分方程式を利用して最も美しく良いものを設計できる。この方程式はきっと人類に、これからの世代に幸福をもたらしてくれます。

三、美は発展するシステム事物

どんな時代、どんな業界、どんな生活場面にも、随時人々の想像できない美が現れてくます。例えば、新しい設計の美しさ、新しい発明の美しさ、新しい芸術の美しさ、新しい発見の美しさ、新しい思想の美しさ。美は、際限なく続く階層構造と表現ですが、その核心は数理的で、自然美はその基礎で、最小作用量は美の進化力で、善は美が理性的な社会での表徴です。

ギリシア人の美学が宇宙学、中世の美学が神学的、文芸復興期の美学が人文主義的で、現代美学がシステム科学的、システム思考的、インターネット思考的だと言えます。これは今時の最大の特徴です。

四、人間は自然の美が発見できる

自然界の美しいものを、なぜ人間も美しいと思うのでしょうか？それは、人間が自然界の進化の産物で、人間の思想も進化する物質の自己相似性で生まれたものだからです。自然界は人間の母なる存在です。

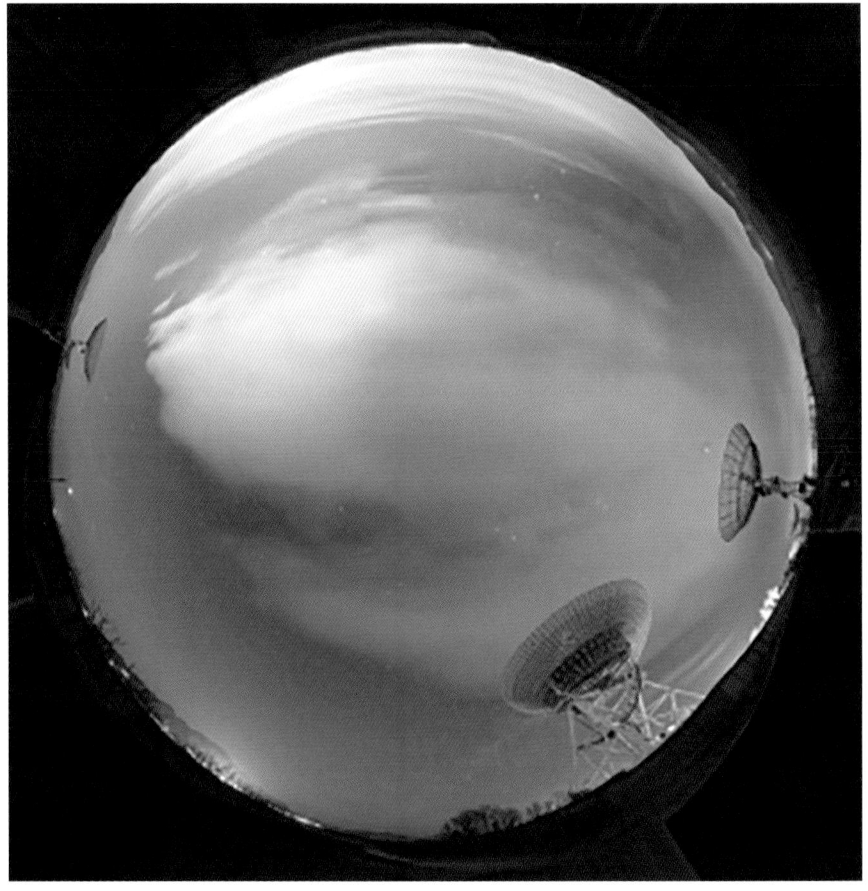

自然の生成と進化は、相似生成と進化で、相反生成ではないです。人間は、大自然の相似生成と進化の成果で、人間と大自然にかかわりある階層との相似性、つまり物質中の階層との相似性により、思想、意識の相似性が生じます。これは、大自然の美が人間も必ず美しいと思う根本原因です。その為、人間の任務は大自然の美しい物事を発見すること。科学者が大自然の法則、例えばアインシュタインの相対性理論、ニュートンの力学などの発見のように、芸術家は宇宙の中の大自然美を発見した。我々は自然美を創造できないが、それを見付けて利用できます。

五、美の本質

1750 年以来、バウムガルテン（Baumgarten）は美学を感性学だとしたが、美の本質についてずっと根本的な美学論争点です。その原因は下記の通りです。

まず、古今東西の美学史とその理論は、自然美と現実美（自然美、芸術美、設計美）に対する科学的な区別に欠けています。これは非常に大きな欠陥です。実は自然美は「源」で、芸術美、設計美とは「流」の関係です。

次に、ヘーゲル哲学の二次元構造（現象と本質）の限界性により、美の

本質、美の法則、美の構造などを考え方から解決することはできません。

最後に、ヘーゲル自身は自然美に対する研究も少ないため、美の本質が数百年経っても今なお定論がありません。実際に下記の通り見るべきですと思います。

自然美は美の存在、美の進化、美の自己組織化と現れのプロセスに関わっています。

美は自然物体の属性を有し、自然美は美学哲学の本体論に属し、つまりシステム哲学の構成部分です。それは自然進化の本体論で、物質と同様に、物事の客観的な存在です。

芸術美は設計美の特殊な部分で、未来は徐々に融合し、設計芸術美となっていきます。芸術美活動の空間と自由度は、人間の知能の発達のバロメーターです。設計芸術美は美学が情報、インターネットの時代に入ってからの最大の特徴です。

芸術美と設計美がいずれも他組織とシステム美学に属する実践及び哲学に関する認識論は下記の通りです。

構想（理念）—実践—芸術品の三つの要素です。しかしその設計の基本

原則と規則は依然として美学の根本原則です。つまり多様性の統一、差異性の融合、全体最適化、自己組織の現れなど、そしてインターネット時代の「目新しいこと」、「際立つこと」。

設計芸術美は、インターネット、ビッグデータ、スーパーコンの先頭に立って、現代社会の構造を変えていきます。美学はすでに伝統的美学ではなくなり、すべてが美学となり、あらゆるものが美と設計されて、すべての物事が美となっていきます。

美は、人間社会にとって空気と水のような、一瞬でも欠かせないものになります。美は、世界中のあらゆる物事の融合や統一を促していきます。美は、真、善、美の世界と真、善、美の統一です。

参考文献

1．烏杰：『システム哲学』，人民出版社 2008 年。
2．烏杰：『システム哲学と数学原理』，人民出版社 2013 年。
3．烏杰：『調和社会とシステムモデル』，社会科学文献出版社 2006 年。
4．烏杰主編：『マルクス主義のシステム思想』，人民出版社 1991 年。
5．張華夏：『システム哲学三大法則－烏杰 ” システム哲学 ” 解析』，人民出版社 2015 年。
6．凌継尭：『西洋美学史』，学術出版社 2013 年。
7．張賢根：『西洋美学』，武漢大学出版社 2009 年。
8．楊辛、甘霖：『美学原理』，北京大学出版 2010 年。
9．Bernard Bosanquet：『美学史』，張今訳，中国人民大学出版 2010 年。
10．羅國杰主編：『倫理学』，人民出版社 1991 年。
11．喬良、王湘穂：『超限戦』，解放軍出版社 1991 年。
12．Will Durant、Ariel Durant：『歴史教訓』，中国方正出版社 2014 年。
13．徐恒醇：『設計美学』，清華大学出版社 2013 年。
14．Спиркин.А.Г.：『哲学原理』，求実出版社 1990 年。
15．趙敦華：『現代西洋哲学新編』，北京大学出版社 2001 年。
16．馮友蘭：『哲学の精神』，陜西師範大学出版社 1970 年。
17．馮友蘭：『中国哲学簡史』，新世界出版社 2004 年。
18．烏杰：『システム哲学の数学原理について』、『システム科学学報』2014 年第 4 期。
19．李忱、徐国艶：『最小作用の原理の美学思考』、『システム科学学報』2016 年第 1 期。
20．趙美娟、蘇元福主編：『医学審美基礎』，高教出版社 2004 年。

21. 李沢厚：『華厦美学・美学四講』，生活・読書・新知三聯書店 2015 年。
22. 毛建波、張素琪：『板橋題画』，西泠印社 2006 年。
23. 葉朗：『中国美学史大綱』，上海人民出版社 1985 年。
24. Finley,M.L. 主編：『ギリシャの遺産』，上海人民出版社 2004 年。
25. 黄梅森等：『哲学の科学化』，首都師範大学出版社 2008 年。
26. 朱光潜：『談美書簡』，北京出版社 2016 年。
27. Stephen William Hawking：『大設計』，呉忠超訳、湖南科学技術出版社 2015 年。

著者紹介

烏杰（ウージエ）（以前の名前：云・烏蘭力沙克）、モンゴル族、研究員、教授、システム科学及びシステム哲学学者。1934 年生まれ、内モンゴルフフホト人。政協第九回、十回全国委員会委員；第八回全国人大代表、第八回全国人大環資委委員。鄧小平思想研究会（北京）前会長、中国システム科学研究会前会長、中国経済体制改革研究会前副会長など。北京大学、復旦大学など 20 か所の大学で教授兼務。同時に内モンゴル大学「中国システム哲学研究センター」、深圳大学「中国システム哲学センター」と太原科技大学「中国システム哲学研究センター」主任。

主な著書

『調和社会とシステムモデル』、『システム弁証法』、『全体管理論』、『鄧小平思想論』、『都市管理論』、『帰らぬ道』。H. Haken（独）と Laszlo, E.（米）と共同作『世紀を超えて大陸間の対話』。『マルクス主義のシステム思想』、『経済全球化と国家全体発展』などの主編。

システム美学（びがく）

2020 年 11 月 12 日　第 1 刷発行

著　者　烏杰（ウージェ）
翻訳者　サリナ・李琳・高暁慶訳
発行者　落合英秋
発行所　株式会社 日本地域社会研究所
〒 167-0043　東京都杉並区上荻 1-25-1
TEL　(03) 5397-1231（代表）
FAX　(03) 5397-1237
メールアドレス　tps@ n-chiken.com
ホームページ　http://www.n-chiken.com
郵便振替口座　00150-1-41143
印刷所　中央精版印刷株式会社

ISBN978-4-89022-268-1

日本地域社会研究所の好評図書

小野恒ほか著・中川恵一監修…がんの治療法は医師ではなく患者が選ぶ時代。告知と同時に治療法の選択をせまられる。正しい知識と情報が病気に立ち向かう第一歩だ。治療の実際と前立腺がんを経験した患者たちの生の声をつづった一冊。

前立腺がん患者が放射線治療法を選択した理由
がんを克服するために

46判174頁／1280円

中本繁実著…細やかな観察とマメな情報収集、的確な整理が成功を生む。アイデアのヒントは日々の生活の中に埋もれている。好きをお金に変えようと呼びかける楽しい本。

こうすれば発明・アイデアで「一攫千金」も夢じゃない！
あなたの出番ですよ！

46判205頁／1680円

三浦清一郎著…「やること」も、「行くところ」もない、「毎日が日曜日」の「自由の刑（サルトル）」は高齢者を一気に衰弱に追い込む。終末の生き方は人それぞれだが、現役への執着は、人生を戦って生きようとする人の美学であると筆者は語る。

高齢期の生き方カルタ
〜動けば元気、休めば錆びる〜

46判132頁／1400円

久恒啓一・八木哲郎著／知的生産の技術研究会編…梅棹忠夫の名著『知的生産の技術』に触発されて1970年に設立された知的生産の技術研究会が研究し続けてきた、知的創造の活動と進化を一挙に公開。巻末資料に研究会の紹介も収録されている。

新・深・真　知的生産の技術
知の巨人・梅棹忠夫に学んだ市民たちの活動と進化

46判223頁／1800円

宮﨑敏明著／地球対話ラボ編…東日本大震災で甚大な津波被害を受けた島の小学校が図画工作の授業を中心に取り組んだ「宮古復興プロジェクトC」の記録。災害の多い日本で、復興教育の重要性も合わせて説く啓蒙の書。

大震災を体験した子どもたちの記録

A5判218頁／1389円

斉藤三笑・絵と文…近年、東京も国際化が進み、町で外国人を見かけることが多くなってきました。日本に来たばかりの生徒も、この本を見て、すぐにみんなと将棋を楽しんだり、将棋大会に参加するなんてこともできるかもしれません。（あとがきより）

日英2カ国語の将棋えほん
漢字が読めなくても将棋ができる！

A4判上製48頁／2500円